提摩太·凯勒 凯西·凯勒 / 著
杨 基 / 译

Timothy Keller

婚姻的意义

THE MEANING OF MARRIAGE
Facing the Complexities of Commitment with the Wisdom of God

上海三联书店

目录

引言

神，普天下婚姻的成全者，

使你们的心合而为一。

莎士比亚，《亨利五世》

一本适合已婚者的书

这本书是一棵靠三支深根滋养的大树。第一支根是我与妻子凯西三十七年的婚姻生活。[1] 我在她的帮助下写作这本书，第6章"拥抱'他者'"更是由她本人所写。第1章提请读者注意，当代文化把"心灵伴侣"定义为"完全合得来的人"。然而，一旦开始过日子，双方都发现对方并不称心如意。我最早认识凯西是通过她姐姐苏珊，当时苏珊和我都在巴科内尔大学读书。苏珊常对凯西说起我的事，又常向我提起凯西。凯西很年轻的时候就接受了基督信仰，带她信主的是C. S. 路易斯(C. S. Lewis)的名著《纳尼亚传奇》

(*The Chronicles of Narnia*)。[2] 凯西催苏珊向我推荐这个系列作品。我读了以后深受感动，接着又读了路易斯的其他作品，同样感到震撼。1972 年，我和凯西考进同一所学校，就是波士顿北岸的戈登—康维尔神学院。我们很快就发现彼此有路易斯所说的"神秘之线"，就是那条让不同的个体成为密友乃至爱人的"神秘之线"。

你可能已经发现，有一条"神秘之线"把自己特别爱读的书串起来。你心里知道，这些书有一种共同的特质，让你忍不住喜欢它们，尽管很难讲清楚……你终于遇见一个与你心有灵犀的人——你生来就喜欢的东西，他也颇有感触——一生不变的友谊不正是在你们相遇之时诞生的吗？[3]

我们的友谊逐渐发展成爱情，然后又从弱不经风的新婚成长为久经考验、牢不可破的"金婚"。但这个过程并非一蹴而就，我们先后经历了"投珠于猪"谈话、"脏尿布"冲突、"砸结婚纪念瓷碟"事件，还有这本书里所讲的家庭史当中的许多糗事——这一切都是通往美满婚姻崎岖道路上的里程碑。和很多当代年轻夫妇一样，我们也发现婚姻要比原先想象的困难得多。婚礼结束，当我们唱着赞美诗《稳固根基》走出教堂大门的时候，完全不知道这首歌的某些歌词多么切合现实生活，根本没料到培养稳固的婚姻竟然如此艰难。

虽然有患难，经过火试炼，
我必赐给你，丰足的恩典；
患难与试炼，无法将你害，
你必成精金，必永不朽坏。[4]

所以，这本书适合那些认清现实的夫妇：他们发现每天的婚姻生活非常艰难，并且想寻找实用的资源来帮助自己经受住婚姻中排山倒海般的艰巨考验并借此成熟。我们这个社会对婚姻的看法总体上是悲观的，所以有句俗话说，“蜜月结束了”。这本书正适合那些亲身体验到“蜜月结束了”的人，适合那些从爱情天堂“砰”地一声摔回地球的人。

一本适合未婚者的书

本书的第二支根是我长期在大城市牧会的经验：纽约有几百万单身成年人，仅在我们教会就有好几千。我们教会（位于纽约曼哈顿的救赎主长老会）真是朵奇葩：我们是一间很大的教会，而且多年来，多数会众是单身。几年前，聚会人数快到四千的时候，我问一位著名的教会顾问：“你知道几个像我们这么大的教会有三千单身者？”他说：“就我所知，你们是独一无二的。”

凯西和我在二十世纪八十年代到纽约市中心牧会的时候，常常惊讶地发现西方文化对婚姻的态度可谓爱恨交加。

在纽约，我们开始接触各种反对婚姻的声音，这些声音如今已经成了社会主流：婚姻原本关乎社会财产分配，今天这个制度已经解体；婚姻摧毁自我身份认同，迫害妇女；婚姻扼杀激情，不适合人类心理学现实；婚姻"只是一张纸"，只会让爱情变得复杂；诸如此类。这些说法似乎很有智慧，但它们下面隐藏着一个痛苦情绪的陷阱，而这些不良情绪来自于各种消极的婚姻生活体验和家庭生活体验。

1991 年秋天，我们在纽约市的侍奉刚开始不久，我做了一个为期九周的婚姻系列证道。这是救赎主教会最受欢迎的系列证道。我首先得向一群多数未婚的会众解释为什么要花这么长时间讲婚姻。我的理由是，今天单身的人需要正确地看待婚姻：他们既需要看到婚姻严酷的现实，又需要看到婚姻荣耀的未来。我当年所讲的话，仍然适合今天的单身读者。这本书也是给他们读的。

预备写这本书的时候，我读了好些讲婚姻的基督教书籍，这些书多是为了帮助已婚者处理具体的问题。这本书也有这个实际的用处，但这本书的主要目标是让人有正确的婚姻观，让已婚者和未婚者按照圣经来认识婚姻的本质。合乎圣经的婚姻观可以帮助已婚的人纠正各种正在损害他们婚姻生活的错误观念，也可以帮助未婚者避免"过于渴望婚姻"和"过于恐惧婚姻"这两种有害态度。同样，一本基于圣经的讲婚姻的书，也会帮助每个读者更好地寻找将来的配偶。

一本合乎圣经的书

这本书的材料还有第三个来源，而且这个来源才是最根本的。尽管这本书是基于我自己的婚姻体验和工作经历，但它更是基于旧约和新约的教导。差不多四十年前，凯西和我身为神学生，我们学习了圣经里关于性爱、性别和婚姻的教导。接下来十五年，我们一同把这些教导贯彻在婚姻生活中。然后，在过去的二十五年里，我们用自己从圣经和生活经验中所学的教训，来引导、鼓励、辅导和教导城市年轻人，帮助他们正确对待性和婚姻。本书将这三个阶段的果实一一呈献给您。

但所有这一切的根基都是圣经。

圣经里有三种人类社会组织制度：家庭、教会和政治国家。圣经没说怎么管理学校，尽管学校对于社会稳定繁荣也很重要。圣经也没讲怎么经营企业、博物馆或医院。实际上，很多好的组织形式和人类制度，圣经都没有讲，也没有规定。所以我们可以自由地创建这些组织，并且按照圣经所给出的普遍人生准则，妥善加以管理。

但婚姻不一样。正如基督教长老会《公共崇拜指导》(*Book of Common Worship*)所言，"神设立婚姻制度，使人类蒙福。"进化论者以为人类婚姻只是进化的结果：在青铜时代，人们开始用婚姻来确立财产权。但婚姻可没这么简单。在《创世记》里，神创造的最顶峰，让我们看到神把一个女人和一个男人带到一起，使他们在婚姻里连合成为一体。圣经始于一场婚礼（《创世记》里亚当和夏娃的连合），又终于一场婚礼（《启示录》中基督与教会的连合）。婚姻是神的美意。婚姻当然也是人的组织，并且它反映了所有人类文化的特征。但是，人类婚姻的概念和根源，乃是神自己的作为，所以我们必须明白圣经所说神对人类婚姻的心意。

所以，美国长老教会主持婚礼的时候，牧师要宣告婚姻是“由神设立的，受神诫命规范的，蒙主耶稣基督祝福的”。凡是神所设立的，他必规范。既然婚姻是神发明的，那么进入婚姻的人必须竭力理解并顺服神对婚姻的心意。我们在生活中许多其他方面都是如此。想想你是怎么买车的：你买车的时候，这个机器不是你所造的，你肯定要拿起说明手册来仔细学习，听设计者的话，按照手册来正确使用和维护车辆。不听话就是自寻死路。

很多人不承认神，也不承认圣经的权威，但是，凡是婚姻幸福的人，其实都是遵行神心意的人，不管他们自己是否意识到这点。但是，有的放矢总好过盲人摸象，知道神的心意总比不知道好得多。而要知道神的心意，就得读圣经。

但是，如果你想读我这本书却不相信圣经是神权威的启示，怎么办？也许你认为圣经在某些方面是好的，但是，在性、爱和婚姻这些问题上，你不相信圣经。你认为，在这些问题上，古代智慧与当代西方思想有很大差异，所以圣经在这些问题上是非常“落后”的。如果你这样想，我和我妻子还是劝你读读这本书。多年来，我们给很多人作过婚姻辅导，我本人在数不清的婚礼上讲过婚姻之道。我们发现，很多人虽然不承认圣经权威，甚至根本不信基督，但他们常常惊讶地发现圣经的婚姻观是多么深刻，多么切合他们的实际处境。这是我们的亲身体验。很多人常常在婚礼之后对我说:“我一点也不信教，但你对婚姻的解释，是我听过最有益、最实事求是的解释。”

人很难正确认识婚姻。我们都透过一副眼镜去看待婚姻，这副眼镜就是自己的人生经历，而这副眼镜必定是扭曲的。如果你来自一个稳定的家庭，父母婚姻美满，你就会觉得婚姻并非难事。于是，等你自己结婚的时候，会发现培养持久的关系是非常困难的，你会觉得非常意外，非常沮丧。反过来，如果你父母关系糟糕，或经历过离婚的痛苦，你的婚姻观就可能过于谨慎或过于悲观。你可能过于担心各种关系问题，并且一旦出现这些问题，你就会迫不及待地说，“看吧，我早就知道……”，然后就放弃努力。换句话说，任何一种成长背景，都可能给你错误的眼光装备，让你无法正确面对自己婚姻中的问题。

所以，我们应该如何综合而平衡地看待婚姻呢？今天有许多心理辅导师写的好书，这些书可能非常实用。然而，几年以后，这种实用的婚姻手册就会显得过时。而圣经有许多宝贵的教训，千百年来，在各种文化中，圣经的教训经受住了无数人的考验。论到婚姻，有什么资源比圣经更值得信赖呢？

本书的结构

这本书的内容主要依据圣保罗在《以弗所书》5 章关于婚姻的著名经文，因为这段经文不仅本身既丰富又完整，而且联系并解释了圣经关于婚姻的另一段经文：《创世记》2 章。在本书第 1 章，我们把保罗的话置于今天的文化处境中，并列举圣经关于婚姻的两个最基本教导：婚姻是神设立的；婚姻的目的是为了反映神在耶稣基督里的救赎之爱。所以说，福音帮我们理解婚姻，婚姻又帮我们理解福音。在第 2 章，我们提出保罗的论点：所有夫妻都需要圣灵作工。圣灵让我们认识基督救赎的工作，以超自然的方式帮助我们抵挡婚姻的大敌：罪恶的自我中心。我们需要被圣灵充满，才能各尽其责，彼此服侍。

第 3 章让我们进入婚姻的核心：爱。但爱是什么？第 3 章讨论爱的感觉与爱的行为的关系，以及浪漫的激情与盟约的献身的关系。第 4 章讲的是婚姻的目的：婚姻是为了让两位属灵的朋友彼此扶持，同走天路，变成合神心意的样式。这里，我们会看到一种崭新的、深刻的幸福位于基督徒圣洁生活的远端。第 5 章提出三套彼此服侍的基本技巧，我们可以用这些技巧来彼此扶持，走完这条爱的旅程。

第6章的内容是两种不同的性别如何在婚姻里彼此接纳,互相学习,共同成长。第7章帮助单身者利用这本书的建议来过好单身生活,并且用正确的心态来寻求婚姻。最后,第8章讨论性爱的主题:为什么圣经把性爱限于婚姻之内,以及如果我们接受圣经的观点,那么我们应当如何过单身生活和婚姻生活。[5]

这本书理清了基督徒的婚姻观。前面说过,基督徒的婚姻观基于对圣经文本的忠实解读。这意味着,我们把婚姻定义为一男一女、一生一世、一夫一妻的关系。根据圣经,神对婚姻的心意是:婚姻要反映神的救赎之爱,就是他在基督里对我们的救赎之爱;婚姻是为了塑造品格;为了生育儿女、创造稳定的人类社会共同体;并且要通过两性之间彼此互补、牢固持久的连合来成就这一切。因此,必须强调一点:基督徒的婚姻愿景不可能通过两个同性实现。这是圣经所有作者完全一致的观点,也是这本书始终坚持的观点,尽管我们不直接讨论同性结合这个话题。

圣经关于婚姻的教导不仅反映某个文化或某个时代的观点。圣经的教导挑战当代西方文化的个人主义叙事——当代西方文化认为个人自由是实现幸福的唯一道路。与此同时,圣经也挑战传统文化的观点——传统文化认为不结婚的成年人是不完整的。《创世记》彻底批判了古代社会中的一夫多妻制,尽管这种制度在古代社会得到普遍接受;圣经生动地描述了一夫多妻在家庭关系中所造成的悲剧和混乱，以及一夫多妻所导致的痛苦，尤其是对妇女的伤害。新约作者赞美长期单身是一种合宜的生活方式，这种说法让当时的异教社会深感震惊。[6] 总之，圣经作者的教导总是反对所在文化的主流信仰：圣经的教导绝非古代伦理和古代人社会行为的衍生品。因此，我们不能嗤之以鼻地说圣经的婚姻观彻底落后，只是过时的文化。正好相反，圣经充满了非常实用且高度现实主义的论述，以及许多激动人心的应许。而且，圣经提出这些论述和应许，不是通过死板的系统神学命题，而是通过精彩的故事和感人的诗歌。[7] 因此，如果你透过自己的恐惧、自己的浪漫想法、自己的经历，或自己所在文化的狭隘观点来认识婚姻，你的婚姻观必定是扭曲的。你必须透过圣经这副眼镜来认识婚姻，才能做出明智的选择。

《以弗所书》5:18—33

不要醉酒,醉酒能使人放荡乱性,却要让圣灵充满。应当用诗章、圣诗、灵歌,彼此呼应,口唱心和地赞美主。凡事要奉我们主耶稣基督的名,常常感谢父神。还要存敬畏基督的心,彼此顺服。你们作妻子的,要顺服自己的丈夫,好像顺服主一样。因为丈夫是妻子的头,好像基督是教会的头。基督又是教会全体的救主。教会怎样顺服基督,妻子也要照样凡事顺服丈夫。你们作丈夫的,要爱妻子,好像基督爱教会,为教会舍己,为的是要用水借着道把教会洗净,成为圣洁,可以作荣耀的教会归给自己,什么污点皱纹等也没有,而是圣洁没有瑕疵的。丈夫也应当这样爱妻子,好像爱自己的身子一样。爱妻子的,就是爱自己了。从来没有人恨恶自己的身体,总是保养顾惜,好像基督对教会一样,因为我们是他身上的肢体。为了这缘故,人要离开父母,与妻子结合,二人成为一体。这是极大的奥秘,但我是指着基督和教会说的。无论怎样,你们各人都要爱自己的妻子,好像爱自己一样。妻子也应当敬重丈夫。

(本书引用的圣经经文,采用圣经新译本)

第1章

婚姻的奥秘

人要离开父母，与妻子结合，二人成为一体。这是极大的奥秘……

《以弗所书》5:31—32

“一见钟情永不变心”这种话，我早就听腻了。在婚礼上，在教会里，在主日学，谈论婚姻的那些话，其深度大多和一张贺卡差不多。你可以用很多话描述婚姻，但婚姻绝非“一见钟情永不变心”。婚姻是荣耀的，也是艰难的。婚姻燃烧着喜乐和力量，又浸透着血汗和泪水；有许多失败让人学会谦虚，又有许多胜利让人精疲力竭。我所知道的婚姻，只要超过几个星期，没有一个可说是“童话成真”的。所以，保罗在《以弗所书》5章关于婚姻的著名论述，很多夫妇只记得31节至32节，就是印在上面的几句经文。有时候，你费了一整天时间，艰难地试图彼此理解却一无所得；你一头栽倒在床上，只能感叹：“这真是极大的奥秘！”有时候，婚姻似乎是无解之谜，人困于其中，无路可走。

我相信这些都是事实。但是，最伟大、最重要的人际关系，就是婚姻。在圣经里，神亲自为人类第一场婚礼证婚（创2：22—25）。并且，亚当一看见夏娃就诗兴大发，感叹：“这是我骨中的骨，肉中的肉！”[1] 这句话告诉我们，婚姻是最亲密的人际关系，仅次于人与神的关系。而且，正因为如此，学会认识配偶和爱配偶，与认识神一样，既是难事苦事，又是美事妙事。

最痛苦、最奇妙的人际关系——这就是圣经对婚姻的理解，并且今天特别需要强调这种婚姻观，提高它在当代文化中的地位。

婚姻日渐衰微

在过去四十年里，美国“重要婚姻指标”（根据自己的体验，描述婚姻的健康程度和满意程度）一直在持续下降。[2] 今天的离婚率几乎是1960年的二倍。[3] 在1970年，所有新生婴儿中，89%的父母是已婚夫妇，但今天这个比例却降至60%。[4] 最有说服力的是，在1960年，有超过72%的美国成年人已婚，而2008年只有一半成年人已婚。[5]

这些数字都显示出美国文化越来越提防婚姻，态度越来越悲观。年轻人更是如此。他们相信自己不太可能拥有美满婚姻，而且，即便婚姻稳定，他们也认为婚后性生活会变为无趣。正如喜剧明星洛克（Chris Rock）所提的问题，“你是愿意一个人孤独老去，还是愿意两个人无趣厮守?”很多年轻的成年人相信只有这两种选择。正因如此，很多人试图在婚姻和一夜情之间追求幸福：选择同居。

这种做法在过去三十年间呈几何级数增长。今天，有超过一半的美国人婚前同居。在1960年，这个数字几乎为零。[6] 目前，二十五岁到三十九岁之间的未婚女性中，有四分之一与一个伴侣同居，而在三十五岁到三十九岁这个年龄段，有未婚同居经验的人数比例上升到60%。[7] 这种做法背后是一些广为流传的信条和观念。其中一个观念是：多数婚姻不幸福。人们的理由是：50%的婚姻最终离婚，而且剩下的50%里面，痛苦的肯定也不少。很多人说，婚前同居可以增加选择正确配偶的几率。婚前同居可以在你一脚踏进婚姻之前，帮助你发现两人是否合得来。婚前同居也可以发现对方是否真关心你，你们之间的“性吸引力”是否足够强。“我认识的每个草率结婚的人——婚前没有同居的人——最后他们都离婚了”，有人在“美国婚姻研究项目”（National Marriage Project）的民意调查中这样说。[8]

然而，这些信条和观念的问题在于：它们几乎每个都完全错误。

婚姻出人意料的益处

虽然民意调查中那位年轻人支持婚前同居，但“大量证据表明，婚前同居的人更有可能在婚后离婚”。[9] 对那些经历了父母离婚的年轻人来说，同居是一个合情合理的选择，但事实表明：吃这服药，比得病更苦。[10]

其他一些流行观念也是错误的。确实，45%的夫妇最终离婚，但是离婚率最高的人群是那些十八岁之前结婚的人，他们高中辍学，并且婚前生子。“所以，如果你受过不错的教育，有体面的收入，来自一个完整的家庭，有正确的宗教信仰，在二十五岁之后结婚，并且不是奉子成婚，那么你就不大可能离婚。”[11]

很多年轻人赞成婚前同居，因为他们觉得，如果没有自己的房子，没有财务保障，就不应该结婚。[12] 他们的假设是，婚姻是一个财务黑洞。但研究指出，婚姻具有许多“出人意料的经济利益”。[13] 1992 年的一份针对退休数据的研究表明，在退休的时候，一直在婚姻中的人与那些从未结婚或离婚后未再婚的人相比，前者的财富比后者多 75%。更值得注意的是，已婚男子与那些拥有相似教育背景和工作经历的单身男子相比，前者的收入比后者高 10%—40%。

为什么会这样？一部分原因是已婚者的身体和精神更

健康。另外，婚姻提供了一套有效的“减震装置”，可以帮助你度过失望、病患和其他困难。你可以更快恢复平衡。但是，收入高也可能来自于学者所说的“婚姻社会规范”。研究表明，夫妇彼此监督和自我约束的水平高于朋友和其他家庭关系。举一个例子，单身的人可以随意花钱，放任自流，没人监督他们。但已婚的人必须一起省钱，投资，作长远打算。没有什么比婚姻更利于品格成熟。[14]

很多年轻人恐惧婚姻的主要原因，也许是他们觉得多数夫妇都不幸福。雅虎网站论坛上有一个典型的例子，一个二十五岁男子宣布自己永远不结婚。当他把这个决定告诉已婚的朋友时，每个人都笑了，他们纷纷露出嫉妒的表情，连连夸他聪明。于是，他作出结论：已婚者当中至少70%是不幸福的。一位年轻女士在下面跟帖，对他这个毫无根据的数据表示赞同。她认为，“已婚的人里面，十个有七个活在地狱里，”然后又说，“我明年结婚，因为我爱我的未婚夫。但是，要是他对我不好，我会毫不犹豫地甩掉他。”[15]

最近《纽约时报》刊登了一篇报道，讲的是一部新电影，名叫《一夫一妻》（*Monogamy*），导演是夏皮罗（Dana Adam Shapiro）。[16]在 2008 年，夏皮罗发现很多三十岁左右的已婚朋友都在闹离婚。他决定拍一部电影，并且采用口述历史的方式——他深入采访了五十个见证自己婚姻破裂的人。然而，他并没有研究幸福的、长期稳定的婚姻。有人问他为什么不采访婚姻美满的夫妇，他借用托尔斯泰的话说："幸福的婚姻都是一样的。意思就是它们都很无趣。"[17]《纽约时报》记者总结说："由此可见，这部影片最终采纳了一种可怕的婚姻观，甚至可说是世界末日一般的可怖景象。"这部影片描述了两个人的困境：虽然彼此深深相爱，却不能白头到老。夏皮罗在接受采访时还说，他相信两个现代人彼此相爱而不牺牲个性和自由是很难的，甚至是完全不可能的。用记者的话讲，尽管夏皮罗希望有一天能结婚，并且不认为自己的电影是敌对婚姻的，但这位从未结过婚的夏皮罗觉得一夫一妻制实在是太难了。夏皮罗的观点反映了美国年轻人、特别是城市年轻人的典型思想。

我所在的教会有几千单身者来自纽约曼哈顿，作为教会牧师，我与无数男人和女人交谈过，他们都有类似的婚姻观。然而，他们低估了美满婚姻的前景。所有调查研究都告诉我们，自称"婚姻非常幸福"的已婚者比例非常高，达到61%—62%，而且在过去十年里，这个比例并没有下降。最值得注意的是，纵向研究表明，那些不幸福的婚姻，如果不离婚，有三分之二会在五年内变得幸福。[18]所以，芝加哥大学的社会学家魏特(Linda J. Waite)说："人们高估了离婚的好处。"[19]

在过去二十年里，大量研究证据表明，已婚者的生活满意度明显高于单身、离异和未婚同居者。[20]这些证据也表明，多数人的婚姻是幸福的，而那些婚姻不幸却没有离婚的人，多数最终变得幸福。同样，那些在健全的家庭中成长的孩子，与其他孩子相比，前者有生活积极性的比例比后者高二到三倍。[21]所以，一面倒的结论就是：成年人结婚、儿童与父母一起生活，会极大地促进人类幸福。

婚姻的历史

从前，人们普遍相信婚姻是良善美好的，但现在却不这样想。弗吉尼亚大学的“美国婚姻研究项目”最近的报告指出：“少于三分之一的【高四】女生和仅略多于三分之一的男生相信……与其他选择相比，婚姻更有益于个人。但这种消极态度与现有的经验证据相悖；现有经验证明：与单身和同居相比，结婚更具有现实的个人利益和社会效益。”[22]这个报告认为，多数年轻人的观点不仅抵触之前人们的共识，抵触世界各大宗教的教导，而且也得不到最新社会科学研究证据的支持，而这些证据是多年积累的，是可信的。

那么，这种悲观态度是从何而来的呢？而且，它为何如此脱离现实？有趣的是，这种悲观态度可能恰恰来自于一种新的、不现实的、理想化的婚姻观，而这种观念源自于美国的一个文化转变：美国文化对婚姻目的的认识发生了重大转变。法学家威特(John Witte, Jr.)说：“从前，人们认为理想的婚姻是一个永久的盟约，这个约的目的是为了彼此相爱、延续生命、彼此保护；但这种旧观念逐渐让位于一种新的婚姻观，人们开始相信婚姻是‘性爱的终极合同’，目的是迎合双方个人的性欲。”[23]

威特指出，西方文明有几种不同的婚姻观，人们对婚姻的形式和功能有不同的看法。[24]前两种婚姻观是天主教和新教的观点。尽管天主教和新教在很多细节上有不同看法，但它们都教导说，婚姻的目的是为人类社会创造一个基本框架，让夫妻可以彼此奉献，彼此相爱。婚姻是一个庄严的约束，目的是帮助夫妇克制个人的冲动和利益，从而增进双方的关系；婚姻是神之爱的圣礼（天主教的重点），应当造福全人类（新教的重点）。新教认为，婚姻不仅是神赐给基督徒的福分，也是为了造福全人类。婚姻将男性和女性放在一种具有约束力的伴侣关系中，从而塑造他们的品格。尤其是维系一生的婚姻能够促进社会稳定，这种社会环境可以帮助儿童茁壮成长。全社会都从婚姻制度受益，因为儿童难以在其他环境中健康成长。[25]

然而，威特解释说，自十八世纪和十九世纪的启蒙运动以来，出现了一种新的婚姻观。古代文化告诉社会成员要通过履行责任来寻找生命意义，要接受自己的社会角色，并且扮演好自己的角色。在启蒙运动中，事情逐渐开始变化。生命的意义逐渐被视作个人自由的结果：要找到生活的意义，就得选择自己最满意的生活方式。人们不再通过舍己、牺牲、放弃个人自由、履行婚姻责任和家庭责任来寻找人生意义，婚姻被重新定义为“追求满足情感和性欲，寻求自我实现”。

这种新观念的支持者对婚姻本质的看法，既不像天主教徒那样认为婚姻象征圣礼，也不像新教徒那样认为婚姻是造福人类的社会纽带。他们认为婚姻只是一纸合同，双方签订合同的目的是为了促进彼此的个人成长和满足。按照这种观点，人结婚是为了自己，不是为了履行责任，不论是对神的责任，还是对社会的责任。因此，婚姻的双方可以按照自己的意愿来安排婚姻生活，只要他们认为有益就行，不应该将对于教会、传统或更大社群的义务强加给他们。简而言之，启蒙运动使婚姻私人化，使婚姻脱离公共领域，并且将婚姻的目的重新定义为“迎合个人欲望”，婚姻不再是为了实现“更大的公义良善”，例如：反映神的本性、塑造圣洁品格或养育敬虔的后代。在西方文化中，这种新的婚姻观已经取代了原有的婚姻观；这个过程是逐步完成的，也是确定无疑的。

这种转变并非无人知晓。最近，《纽约时报》专栏作家帕克-波普（Tara Parker-Pope）写了一篇名为《幸福婚姻是“我的”婚姻》的文章：

人们觉得最美满的婚姻是那种能给个人带来满足的婚姻，这种观点似乎有悖常识。说到底，婚姻难道不应该把关系放在首位吗？千百年来，人们都认为婚姻是一种经济社会制度；满足人的情感和理性需求是次要的，维系婚姻关系才是首要的。但是，在现代人际关系中，人们在寻找一个伴侣，并且他们想找的是一个可以让自己的生活变得有趣的伴侣……可以帮助彼此实现人生目标的伴侣。[26]

这种改变是一场革命。帕克-波普将这场革命赤裸裸地描写出来。婚姻原本是一种公共制度，目的是造福社会，现在却成了一种私人事务，目的是满足个人欲望。婚姻原本关乎我们，但现在只关乎我。

但讽刺的是，这种新的婚姻观实际上给人增加了极重的负担，人们对婚姻和配偶抱有过高的期望，这是传统婚姻观从来没有的。而且，这种婚姻观让我们深陷两种痛苦之中，无法自拔：不切实际的渴望，以及真实的恐惧。

找个合得来的心灵伴侣

从2002年开始，"美国婚姻研究项目"发起了一项重要研究，题目是"为何男人不愿作出承诺"，研究员是怀特黑德(Barbara Dafoe Whitehead)和波普诺(David Popenoe)。[27] 这个研究很能说明问题。女人常常指责男人有"承诺恐惧症"，恐惧婚姻。报告的作者指出："确实，我们对男性态度进行了研究，有足够证据支持这种流行观点。"研究者又列举了一些男人自己给出的原因，解释自己为什么不想结婚，至少不急着结婚。然而，最值得注意的是，许多男人说自己必须找到"完美的心灵伴侣"，必须找到特别"合得来"的人，否则就不结婚。可是，什么叫“合得来”呢？

我遇见凯西的时候，我们很快就感到有许多共同点，书籍、故事、话题、对生活的看法和喜欢做的事。我们发现彼此心心相印，惺惺相惜。但是，很多年轻人所说的“找个合得来的心灵伴侣”却不是这个意思。根据怀特黑德和波普诺的研究，这当中有两个关键要素。

第一个要素是性吸引力。夏皮罗采访了许多刚离婚的人，一个最明显的采访主题就是，完美的性爱对他们有多重要。一位女士解释说，她嫁给丈夫是因为“我觉得他很性感”。可是，令她失望的是，他长胖了，不再注重外表。蜜月结束了。而且她知道这点主要是通过性爱。她给自己定了一个规矩，除非自己真有性的需求，否则就不过性生活。但是，她很少真有性的需求，“我们的性生活已经成了例行公事，一个星期才一次，有时候连一次也没有。没有花样，没有真正的精神或是情感的满足。没有那种让性生活变得美满的急迫感和紧张感——那种想取悦他、吸引他的感觉……”[28]

在她看来，性吸引力是“找个合得来的人”的基本要求。

然而，接受“美国婚姻研究项目”调查的男士们却没有将性吸引力作为最看重的因素。他们说，“合得来”尤其是指对方表现出“愿意按其本相接纳他们，不试图改造他们”。[29]“很多男人表示不喜欢女人试图改变他们……有些男人把‘合得来的婚姻’描述为‘找一个合适的女人，可以融入自己生活的女人’。‘如果你们真合得来，就不需要改变’，一位男士这样评论。”[30]

让男人真有男人味

这是一个改朝换代式的变革。传统上，男人知道结婚就意味着要作出很大的个人改变。传统观念认为婚姻会将男人改造成为真正的男子汉。与女性相比，男性更独立，他们不愿、也不太擅长建立亲密关系，因为建立亲密关系需要相互交流、支持和团队合作。所以，根据传统，婚姻有一个明确的目的，就是改造男人；婚姻要成为一所特殊的学校，教男人如何处理新的、相互依赖的人际关系。

讽刺的是，被调查的男性所表现出的所谓男人气概，恰恰是传统婚姻观念所要改造的地方。研究者询问那些接受采访的男性，问他们是否意识到同龄女性会面对结婚和在适龄期间生育子女的压力。男人完全明白自己推迟结婚会让女性难以实现她们的生活目标，但男人并不同情她们。一个受访者说：“那是她们的事。”[31]很多男性态度强硬地表示，他们与女性的关系绝对不能限制他们的自由。研究报告作出结论说：“同居让男性获益，他们可以享受家庭生活和女友的性安慰……与此同时，他们仍然可以过独立的生活，继续四处寻觅更好的伴侣。”[32]

《纽约时报》专栏作家利普顿(Sara Lipton)列举了一系列

已婚的著名男性政治人物，他们有一个共同点：拒绝将性生活仅仅限制在婚姻之内。施瓦辛格(Arnold Schwarzenegger)、斯特劳斯-卡恩(Dominique Strauss -Kahn)、桑福德(Mark Sanford)、恩赛因(John Ensign)、约翰·爱德华兹(John Edwards)、斯皮策(Eliot Spitzer)、金里奇(Newt Gingrich)、克林顿(Bill Clinton)和维纳尔(Anthony Weiner)。他们每个人都不接受婚姻的传统目的：改造自然本能、限制激情、学会抗拒私欲、服侍别人。

就此现象，传统的解释是：婚姻不符合男人的本性。最男性化的男人，尤其难以忠于配偶。有人说，"A型男需要征服女性，需要女性崇拜他们，喜欢非法和危险性关系，这种心态与他们的进取心、野心、自信心紧密相关。"但利普顿认为，根据传统，是婚姻把男人改造成真正的男子汉："在西方历史的多数时候，人们认为男性的首要特征和最宝贵特征是自制……一个沉溺于吃喝、睡觉、性欲的男人——一个'管不住自己'的男人，是公认不适合管理家庭的，更不用说参政议政了……"

纽约州立大学石溪分校历史学教授利普顿总结说："看到最近这些新闻，看到许多民选官员鲁莽纵欲的行为，我们或许应该反思，要知道，在以前，性自制力才是衡量男人的尺度，而非性能力。"[33]

当代人对婚姻的态度发生了重大转变，我们不应该把责任全都推给男性。今天的男人和女人都想要这样一种婚姻：他们可以在其中获得情感满足和性满足，而给他们带来满足的人对他们听之任之，让他们“做真实的自己”。他们都想要一个完美的配偶：有情趣、有知识、有性吸引力、有许多共同的兴趣爱好，并且，最要紧的是，支持他们的个人生活目标，支持他们现在的生活方式。

而且，如果你的愿望是找一个不要求你作出改变的配偶，那么你就是在找一个自身近乎完美无缺的配偶，对方“维修保养成本极低”，没什么个人问题。你在寻找一个不希望、也不要求你作出重大改变的人。所以，你在找一个理想的人——快乐、健康、有趣、知足。人类历史从来没有一个社会像我们今天这样充满不切实际的人，找对象的要求如此之高。

悲观的理想主义：反讽

理想主义怎么会导致人们对婚姻采取新的悲观态度？这似乎有违常识，但却是事实。在过去几代人那里，很少谈论是否“合得来”和去找“理想的心灵伴侣”。今天，我们在寻找一个可以接纳我们本相的人，可以满足我们欲望的人，而这让我们有许多不切实际的期望——期望越高，失望越大：寻求者和被寻求者都对现实感到沮丧。

寻找满意的性伴侣，这件事本身就是一个问题。“美国婚姻研究项目”的另一份报告指出：

色情媒体文化也可能是一个肇因。人们对将来的心灵伴侣的外表具有不现实的期望。MTV、互联网和维多利亚的秘密电视广告里年轻女子的性感形象影响了男性的审美观，他们希望自己最终找到一个人，可以将心灵伴侣和性感女郎集于一身，于是他们就迟迟不与现任女友结婚。[34]

人们对待婚姻的态度发生了重大变化，但我们不应该把这种文化变革的原因完全归结于男性贪图外表。女性也受到消费文化的影响。今天，男性和女性都不将婚姻视作"塑造品格和造福社会"的途径，而是"追求个人生活目标"的途径。男性和女性都在寻找理想伴侣，可以"满足自己的情感、性爱和精神欲求"。[35]而这导致了一种极端的理想主义心态，这种心态反过来又导致深刻的悲观思想，让人觉得自己永远找不到正确的对象。这就是为什么许多人迟迟不结婚，那些本来可能成为不错配偶的异性，他们根本看不上眼，理由仅仅是对方"不够好"。

这真是讽刺。人们以为传统的婚姻观是死板的，是压迫人的，而新的"以我为本的婚姻"观似乎是解放人性的，是非常自由的。可是，正是这种新的观念反而导致婚姻现实急转直下，让人感到绝望和压迫。"以我为本的婚姻"需要两个理想化的人：双方都具有完美的适应能力，幸福快乐，对情感的需求很少，而且几乎没有性格缺陷。问题在于：几乎没有这种单身者待嫁候娶！"婚姻是为了实现自我"这种新观念已经把我们放在这样的位置：我们想要从婚姻中得到太多的东西，但同时又要得远远不够。

蒂尔尼(John Tierney)在经典的幽默作品《挑、眺、跳》(Picky, Picky, Picky)里，用优雅的笔调让我们看到自己可笑的文化处境。他列举了单身朋友最近说分手的许多理由：

“她把‘歌德’这个词都读错了。”

“我看到他书架上有一本《少有人走的路》，叫我怎么还能尊重他？”

“要是她能减七磅体重就好了。”

“当然，他是个不错的伴儿，但他公司不够大。而且他穿那种短黑袜。”

“嗯，开始很不错……长得很漂亮，身材也好，笑起来很可爱。一切都很好。可是她一转身，”一个不祥的停顿之后，他摇摇头，“……她胳膊肘儿颜色太深了。”[36]

蒂尔尼扫描完那些荒唐得离谱的个人征婚广告(他们“欲觅”的对象根本不存在)之后，认定当代年轻人受困于一种机制，他称之为“自动挑错机制”(Flaw-o-Matic)。这是一种“内心的声音，是头脑内部不停运转的自动装置，可以立刻发现潜在配偶身上的致命缺点”。“自动挑错机制”有什么作用呢？他认为，这个机制来自于有些人“下定决心要得到他们所不配得的东西——并且拒绝任何与他们相近的东西，哪怕有一丝相似都不行”。但蒂尔尼总结说，这是一种给自己找借口的机制，它让我们有理由保持单身并因此保持安全状态。“在他们心里，他们知道自己为什么需要‘自动挑错机制’……承认这点并不容易，尤其在情人节更是如此。他们在这些征婚广告里所说的其实是：欲觅独身。”

换句话说，当代文化中一些人向婚姻伴侣索取太多。他们不把婚姻视为两个有缺点的人在一起创造一个稳定、友爱、相互安慰的空间——如拉什（Christopher Lasch）所言：一个“残酷世界”中的避难所。[37]相反，他们在寻找一个理想化的人：这个人愿意接纳自己的本相，补足自己的能力，并且满足自己的性欲和情感需求。男人实际上是要找这样一个女人：“做过时装模特的小说家或宇航员。”[38]女人对男人的期望也是一样不切实际。不是基于“舍己”，而是基于“自我满足”的婚姻，需要一个“容易维护保养”或“免于维护保养”的配偶，对方可以满足你的一切需要，却对你几乎一无所求。简而言之，今天人们对配偶的要求实在是太过分了。

然而，还有一些人，虽然他们对婚姻的要求不太高，但很怕结婚。蒂尔尼相信，有很多人恐惧婚姻；至少他在纽约的那些朋友里面，这种人不少。比起“梦想完美配偶”的人，“根本不想结婚”的人其实更多，尽管后者不一定承认这点。

毕竟,我们的文化非常重视个人自由、个人自治和自我实现,我们认为这三样东西具有至高无上的价值;而且,凡有头脑的人都深知,爱的关系就意味着丧失这三样东西。你可以说,“我想找一个愿意完全接纳我的人”,但你内心深处知道自己是不完美的,你知道自己有很多东西需要改变,也知道任何深入了解你的人都希望你改变。你还知道,对方也会有各种需要,而且是一种深刻的需要,以及各种缺点。这一切听起来都很令人痛苦,而且事实就是这样,所以你不想面对这一切,而你又很难向别人和自己承认你不想结婚。于是,你就打开“自动挑错机制”,把敏感度调高,这样就能远离婚姻了。

但是,如果你仅仅因为不想失去自由就逃避婚姻,那就是在伤害自己的感情,而且是一种最深的伤害。路易斯形象地说:

若爱,心或如刀搅,或竟至破碎。若要将自己的心完全保护好,就不可将心付与他人,连爱动物都不行。用无伤大雅的嗜好将心包裹起来吧,避免一切纠葛。把心锁在自私的棺材里,它必安然无恙。但是,在那个棺材里,在那个安全、幽暗、静止、沉闷之处,它会变。它不会破碎;它会变得无法破碎、无法进入、无法救赎。若想避免悲剧,至少避免悲剧的危险,只有下地狱。[39]

所以，在我们的社会里，我们对一夫一妻制的前景过于悲观，这是因为我们对婚姻伴侣的要求过于理想化，并且这一切完全出于我们的无知：我们误解了婚姻本身的目的。

总是找错人

那怎么办呢？我们要来看看圣经是怎么讲婚姻的。圣经不仅解释了我们咎由自取的文化困境，而且提供了解决办法。

圣经解释了为什么人不可能找到“完全合得来”的伴侣。作为牧师，我向上千对夫妇讲过婚姻之道，他们当中有些在努力寻求婚姻，有些在努力维持婚姻，有些在努力挽救婚姻。我听见许多人反复说：“爱不应当这么别扭；爱应当自然而然。”我总是这样回应：“你为什么相信‘爱应当自然而然’呢？难道一个打职业棒球的人会说‘打快球不应该这么难’？一个作家想写出当代最伟大的美国小说，难道他会说‘塑造生动可信的角色和设计引人入胜的情节不应该这么难’？”可以想象，他们会振振有词：“但是，爱不是打棒球，也不是文学创作。爱就是爱。如果两个人合得来，如果两个人是真正的心灵伴侣，爱就应当自然而然。”

基督徒对此的回答是：没有哪两个人是完全合得来的。杜克大学伦理学教授侯活士（Stanley Hauerwas）讲得很透彻：

> “自我实现”这种伦理观会破坏婚姻。这种伦理观认为，婚姻和家庭体制的目的，主要是为了实现个人成就，为了让我们变得“完整”和幸福。这种理论假设：有一个人是最适合我们的，如果我们仔细去找，就能找到那个人。但这种伦理假设是错误的，它忽视了婚姻的一个关键方面：我们实际上总是和错的人结婚。
>
> 我们从来不认识我们的配偶；我们只是自以为认识。即便我们当初找对了人，过不了多久，对方会变。因为婚姻这件人生大事意味着：我们一走进去，就不再是原来那个人。其实，婚姻的要点是……学习如何关爱自己所嫁（娶）的那个陌生人。[40]

侯活士告诉我们，寻找完全合得来的心灵伴侣是不可能完成的任务。婚姻让你特别密切地接触另一个人，这种亲密关系超越任何其他关系。所以，一结婚，你和配偶就开始发生深刻的改变，并且你无法预知会发生哪些变化。所以，你不知道，也不可能知道，你的配偶以后到底会变成什么样子。

很多人听了侯活士的话就感到恼怒，这一点也不奇怪，因为侯活士的本意就是要和时代精神对着干。为了加强这种对立，他故意一言蔽之。当然，有很多不结婚的正当理由，例如年龄差距太大、语言不通等等。婚姻本身已经够难的了，何必再加上这些负担呢？所以，“侯活士定律”是有程度之分的。有些人真是错误的结婚对象。但是，即便是好的结婚对象，也是“合不来的”。凡是经历过长期稳定婚姻的人，都知道侯活士所言不虚。经过多年风雨之后，你必须学会如何爱一个陌生人。你必须改变那些你不想改变的东西，你的配偶也是如此。这条路最终会领你们进入一个坚固的、温柔的、喜乐的婚姻。但是，那不是因为你找对了人，不是因为你找到了那个完全合得来的人。那个人根本就不存在。

这本书献给我和凯西的一些老朋友，我们认识他们已经差不多有四十年了。从他们那儿，我们得到了许多关于婚姻的私密看法。我们在神学院读书的时候就与五对夫妇结为好友；先是几位女士成为好朋友，然后她们的丈夫也逐渐开始交往，成为哥们。这四十年来，我们互相写信、打电话、发电子邮件、登门拜访、度假、同哀哭、同喜乐。我们彼此的婚姻和生活没什么可隐藏的。我们最高兴的事就是（例如在海滩上）一起谈论当初恋爱和结婚时的糗事。我们当初怎么会选他（她）们当配偶呢？在外人看来，我们简直像一群疯子。

辛迪和吉姆：辛迪当年是一位高雅的女士，来自希腊东正教家庭，安静，好思，而且是典型的希腊风格。吉姆精力充沛，吵吵闹闹，喜欢搞笑，而且来自浸信会。然后是盖尔和盖里：他们年龄相差七岁，而且有很大的神学分歧；不仅如此，盖里还经常带着一群大学生搞两周长的野外露营，而盖尔认为度假就应该呆在假日酒店里享受空调。路易丝和大卫：路易丝大学专业是艺术史和英语文学，并且她非常坚持她的改革宗信仰；而大卫却是神召会的带职牧师，每天在宿舍里唱赞美诗，吵得大家没法睡觉。韦恩和简：简说，韦恩是未提炼的纯金，深藏于匹兹堡式外表之下；而她自称为美国南方势利眼。然后是道格和阿黛尔：阿黛尔环游世界，是老练的宣教士；道格则是年轻的国际校园团契同工。阿黛尔之前刚与另一个男人（也叫道格）分手。道格和阿黛尔结婚前夜，阿黛尔坐在我家的床上伤心流泪，不知道自己是否嫁对了人。而她现在说："婚姻开始的时候，我们徘徊在怀疑和地狱的门口，现在站在天堂的门口。"

当然，还有我和凯西。凯西是长老会的，她固执己见，而且坚信自己要投身于城市事工[起因是大卫·威尔克森(David Wilkerson)的《十字架和弹簧刀》(*The Cross and the Switchblade*)]。而我呢？我刚刚向我所属的一个小型农村非长老会宗派的主教承诺不会加入长老会，尽管我当时读的神学院倾向于长老会。

我们这几对，当初看来全都没戏。但我们不仅结了婚，而且过得很幸福；如今我们的孩子也已经长大成人，结婚生子。我们相互扶持，渡过了手术的难关、丧亲的痛苦以及各种危机。

为什么没有哪两个人是完全合适的结婚对象？侯活士告诉我们第一个理由：婚姻会深刻地改变我们。但还有一个理由。进入婚姻的人都是不健康的，每个人在属灵方面都被罪所破坏，这首先意味着每个人都以自我为中心——向自己而活（*incurvatus in se*）。[41]正如作家鲁热蒙（Denis de Rougemont）所言："神经质的、自私的、不成熟的人怎么可能一谈恋爱就变成天使？……"[42]这就是为什么经营美满的婚姻比取得运动或艺术成就更难。不经过严格的锻炼和大量的创作，与生俱来的才能无法让你变成职业运动员或写出伟大的文学作品。既然人性的败坏如此之深，那么，一个人与另一个人又怎么可能轻易彼此相爱，和平共处？所以，圣经说人生来就是有罪的，这个教义让我们明白为什么婚姻是如此痛苦，如此艰难，超过这堕落世界上一切美好重要的事物。

世界末日的爱情

当代人对婚姻的期望无穷无尽，根本无法实现，这些期望使得婚姻不堪重负，加倍痛苦。普利策获奖作家贝克（Ernest Becker）相信，当代文化让人产生一种疯狂的欲望，他称之为"世界末日的爱情"。古时候，人们希望婚姻和家庭提供爱和安全保障。至于人生的意义、将来的盼望、道德指南和自我身份这些东西，则指望神和来世。然而，今天，当代文化告诉我们，神啊、来世啊这些东西谁都说不准，说不定根本就不存在。所以，贝克说，总得有什么东西来填补神留下的空位，而这个东西常常就是浪漫的爱情。从前我们凭信仰得到的东西，如今指望性爱赐给我们。他写道：

恋人成了神的化身，人生才有意义。一切精神和道德的需求如今都集于一人……换句话说，爱的对象就是神……神眷顾伟大的信仰群体的世界观消亡之后，人就开始在异性里面寻求神。[43]毕竟，我们把恋人提升到神的高位，我们到底想从对方身上得到什么呢？得到救赎——少一点也不行。[44]

作为牧师，我曾听见成百上千人向我哭诉婚姻关系多么难以维持、他们如何失去了爱情。杰夫和苏的例子很典型。[45]杰夫又高又帅，是苏心里一直想要的那种类型。杰夫善于言谈，而苏在公共场合内向安静，所以她喜欢他在社交场合出头引领话题。苏善于决断，有远见，而杰夫则"活在当下"。他们的差别似乎正好彼此补足。苏心里暗喜，这么帅的人居然爱上自己；而杰夫呢，虽然很多女人觉得他没上进心，但他很高兴找到一个这么可爱的女孩。然而，结婚刚一年，杰夫的善谈在苏眼里变成了沉迷自我和不会聆听。他缺乏职业规划这个缺点也让她非常失望。与此同时，苏的安静如今在杰夫看来是深藏不露，轻言细语不过是为了掩盖她的蛮横霸道。婚姻关系江河日下,两人很快就离婚了。

两个人的幻想都破灭了。"蜜月"总得结束,千百年来一直如此。这是正常的,甚至是必然的。但是,当代人所经历的失望,当代人痛苦的深度和强度却是史无前例的,而婚姻日趋没落的速度也是前所未有的。今天,有某种东西强化了这种自然体验,并且将这种体验变成毒药。这个东西就是我们对婚姻的幻想和不切实际的期望:我们以为只要找到真正的心灵伴侣,我们生活中的一切问题就都可以得到解决;但这种想法是把恋人当作神,而没有一个人可以达到这么高的要求。

那么,为什么不照很多人所提议的那样,干脆放弃婚姻,把它当作过时的文化古董?当代人是自由、自治的个体。我们已经看见家庭、宗教制度和民族国家这些人类社会的基本制度,如何变成压迫人的工具。也许,属于婚姻的时代已经过去了。自二十世纪七十年代以来,总有人说婚姻作为一种制度正在消亡。最近,新闻报道了皮尤研究中心(Pew Research Center)的研究成果,他们发现有将近40%的美国人相信婚姻正在过时。[46]正如电影《一夫一妻》的一位主演接受采访时所说的:"在美国,婚姻已经失败了。婚姻制度确实是神圣的,但也是失败的,我们呵护婚姻过头了。必须找到新模式。"[47]

深刻的矛盾

但是，尽管人们的普遍印象是婚姻正在退出历史舞台，但婚姻的批评者却不太确信这点，而且为此纠结万分。两个典型的例子是基普尼（Laura Kipnis）的《反对爱情：一场论战》（*Against Love：A Polemic*）和哈格（Pamela Haag）的《后浪漫时代的婚姻》（*Marriage Confidential：The Post-Romantic Age of Workhorse Wives，Royal Children，Undersexed Spouses，and Rebel Couples Who Are Rewriting the Rules*）。两位作者都花了很多时间来证明传统婚姻令人窒息，并且几乎不可能找到真正美满的长期婚姻。然而，她们最终却不情愿地说，必须保留婚姻制度，尽管应当对婚外性关系和艳遇保持开放的态度。

但是，斯特劳斯（Elissa Strauss）在《石板》（*Slate*）一书中批判了哈格的作品，认为哈格"并未证明'非一夫一妻关系的开拓者'比那些忠于婚姻的人过得幸福"。[48]实际上，哈格确实提到那些"悖逆夫妇"——出轨的已婚者或通过聊天室勾搭异性的已婚者——发现婚外情的体验并不令人满意，甚至会破坏婚姻。"归根结底，"斯特劳斯总结说，"哈格对婚姻制度的忠诚是有点奇怪的……因为她近乎完全把婚姻制度肢解了。"[49]斯特劳斯的话恰如其分地表达了美国当代知识分子对待婚姻制度的矛盾心情。

今天,几乎无人能提出任何值得思考的、站得住脚的论点,证明人类社会可以没有婚姻。当代一夫一妻制的反对者也必须承认,至少从实用的角度,我们不能没有婚姻。[50]其中一个原因是越来越多基于实验的研究证明了这点,我们前面已经讲过。[51]除了这些科学研究证据之外,其他证据也表明婚姻——传统的、排他的、一夫一妻的婚姻——可以造福众人,它不仅造福成年人,更让儿童和整个社会受益匪浅。

但我们不需要科学数据也知道婚姻不会消亡。婚姻的普世性本身已经证明了一切。历史上从来没有一个文化或世代不以婚姻为人类生活的中心。[52]尽管西方文化中已婚的人数减少了,但想结婚的人数比例并未减少。我们依旧渴望婚姻。亚当一看见夏娃就脱口而出"就是她",从亚当的感叹中,我们听见这种深刻的渴望,深藏在婚姻里的那种不可磨灭的感觉,一件无以言表的珍宝。这绝非虚言。当代人的婚姻问题不在于婚姻本身。根据《创世记》1 章和 2 章的记载,我们被造成男人女人就是为了结婚,而神设立婚姻则是为了我们的益处。《创世记》3 章说,婚姻以及人类生活的其他方面,全都因为人类犯罪而遭到了破坏。

如果我们的婚姻观过于浪漫主义和理想主义,那我们就低估了罪对人类生活的影响。如果我们的婚姻观过于悲观和愤世嫉俗,那我们就不明白婚姻的神圣起源。如果我们同时采取这两种态度,正如当代文化那样,那我们的负担就因扭曲的认识而加倍沉重。但是,问题不在于婚姻制度,而在于我们自己。

极大的奥秘

本章一开始,我们就看到保罗说婚姻是一个"极大的奥秘"。我们细数各种事实,证明婚姻确实是一个难解之谜。我们不能忽视婚姻,因为它太重要了,但它实在让我们手足无措。然而,保罗这里用的希腊文"*mysterion*"还有"诀窍"的意思。在圣经里,这个词不是用来表示某种圈内人士才懂的神秘知识,而是指某种奇妙的、让人"恍然大悟"的真理,是神借着圣灵所启示的真理。[53]在圣经的别处,保罗用这个词来指福音里关乎神救赎旨意的其他启示。但在《以弗所书》5 章,他出人意料地把这个内涵丰富的词用于婚姻。在 31 节,他引用《创世记》讲婚姻的最后一节经文:"为了这缘故,人要离开父母,与妻子结合,二人成为一体。"然后他说,这是"极大的奥秘"(32 节),一个伟大的、奇妙的、深刻的真理,人只有靠圣灵帮助才能明白。

但是,婚姻的奥秘到底是什么呢?保罗紧接着说,"但我是指着基督和教会说的",这是指前面 25 节所说的话,"你们作丈夫的,要爱妻子,好像基督爱教会,为教会舍己……"简而言之,这个"奥秘"不仅是指婚姻本身这个事实。这个奥秘是指:丈夫应当为妻子做的事,就是耶稣所做的、让我们得以与他连合的事。那到底是什么事呢?

耶稣为我们舍命！耶稣，神的独生子，本是与父同等的，舍弃了自己的荣耀，成为人的样式（腓 2:5 及以下经文）。不仅如此，他甘愿走上十字架，为我们的罪付了代价，承受了刑罚，消除了我们的罪债，使我们不再被定罪，好叫我们与他连合（罗 6:5），有份于他的神性（彼后 1:4）。他舍了自己的荣耀和权力，成为仆人。他向着自己的利益而死，反倒看顾我们的需要和利益（罗 15:1—3）。耶稣的牺牲和服侍，得以让我们与他深入地连合，他也与我们连合。而这，保罗说，就是关键所在，这不仅是理解婚姻的关键所在，也是经营婚姻的关键所在。这就是为什么保罗能把《创世记》2 章最早讲婚姻的话与耶稣和教会联系起来。一位解经家说："保罗看见，当神最初设计婚姻的时候，心里所想的就是基督和教会。这是神对婚姻的伟大心意：描绘基督与他所救赎的百姓之间永远的连合！"[54]

有人说，婚姻本质上是压迫人的，因此是应当废弃的。福音有力地驳斥了这种说法。在《腓立比书》2 章，保罗说，神子不以自己与父同等为强夺的，反倒甘愿成为父的奴仆，由此显出子的伟大。耶稣走上十字架，但父使他从死里复活。

这告诉我们什么叫神的形象……父、子和圣灵不图自己的益处，不彼此操纵……没有所谓"通过多样化实现团结"，也没有所谓"通过团结实现多样化"；只有"三而一、一而三"的神。[55]

但我们千万别驻足于此。在《以弗所书》5 章，保罗让我们看到，虽然耶稣道成肉身来到地上，但他没有用大能大力来压迫我们，反倒牺牲了一切，好让我们与他连合。而这种做法超越了一切哲学思辨，彻底改变了我们的人生态度和生活方式。如果神设立婚姻之初就想到了耶稣救赎的福音，那么婚姻必须符合神的模式才行得通，就是基督舍己的爱所彰显的模式。保罗的话不仅驳斥了"婚姻压迫人、限制人"那种说法，而且也解决了"婚姻的要求太严"这个问题。我们该做的事情太多了，简直不知道从何开始。那就从这里开始，保罗说。神在耶稣里为你做了什么，你就为配偶做什么，别的一切都会水到渠成。

这就是那个极大的奥秘——耶稣的福音和人类的婚姻彼此解释；神设立婚姻之初，已想到耶稣的救赎工作。

选错了？ 没有！

我们应该拒绝传统婚姻观和当代婚姻观给我们的二选一。婚姻的目的是舍弃自己的利益，成全家人？还是追求自己的利益，成全自己？基督徒的观念超越这种两难处境。基督徒的婚姻观并不让人在成全自己与牺牲自己之间二选一，而是让人通过相互牺牲来相互成全。耶稣舍了自己；他向自己而死，救了我们，让我们成为他的百姓。现在我们也舍弃自己，我们也向自己而死；首先是悔改信靠福音，然后每天顺服主的旨意。然而，顺服基督是绝对安全的，因为他已经向我们表明他愿意为我们而死，又为我们复活。他的作为消除了我们一切的恐惧，我们再也不用担心顺服会使自己蒙受损失。

那么，怎样才能拥有美满的婚姻呢？你们需要认识那个奥秘——基督的福音；并且需要知道福音如何带来婚姻的力量和正确的婚姻模式。一方面，婚姻经历会向你展现福音的美好和深奥。婚姻会让你更深地倚靠福音。另一方面，也可以更深地理解福音，帮助你们更深地彼此连合，日益合一。

然后，就是本书的主旨：借着婚姻，“福音的奥秘就显明了。”[56]福音帮助你理解婚姻，而婚姻也帮助你理解福音。这两种力量相互促进：借助婚姻，福音由内而外地塑造你，先是彻底改变你的内心，然后逐渐改变你的生活。

婚姻之所以如此痛苦而奇妙，是因为婚姻反映基督的福音，而福音本身就是又痛苦又奇妙的。福音就是：我们自身的罪恶和残缺超乎我们所信，而与此同时，我们在耶稣基督里蒙爱和得接纳也超乎我们所望。只有这种关系才会真正转变我们。没有真理的爱显得太孱弱：它支持我们，肯定我们，却让我们无法纠正错误；没有爱的真理又显得太严厉：它给我们鞭策之声，我们却听不进去。然而，神在耶稣基督里的救赎之爱，既有真理又有爱：基督让我们彻底认识自己的本相，又彻底地、无条件地向我们献身。基督满有怜悯的献身之爱，帮助我们认识真理，认识我们自己的本相，又让我们可以悔改。这种认罪悔改促使我们一生跟随他，安息在他里面，享受神的怜悯和恩典。

神对我们的爱是改变生命的爱；越是婚姻遇到难处的时候，我们对神的爱体验得越是深刻。但是，美满的婚姻也让我们在人的层面体验到神的爱。福音可以用神的爱充满我们的心，这样一来，一旦配偶不爱你，你就可以包容和忍耐。福音让我们得以自由，我们可以彻底地看清配偶的罪过和缺点，也不忌讳谈论，而仍然完全地爱对方，接纳对方。并且，一旦我们的配偶借助福音的能力体验到这种“真理加献身”的大爱，到了合适的时候，我们就可以看到他们发生改变。

这就是那个极大的奥秘！基督的福音让我们得到神的能力和正确的模式，可以相互扶持，同走婚姻之路。但这个正确的模式到底是什么呢？神的能力到底如何工作呢？让我们翻到《以弗所书》5 章，来更深入地理解这个大奥秘。

第2章 婚姻的力量

还要存敬畏基督的心，彼此顺服。

《以弗所书》5:21

圣灵充满

保罗在《以弗所书》5:21 引入讲婚姻的这段著名经文："还要存敬畏基督的心，彼此顺服。"[1] 在英文圣经里，这句话多译为一个单独的句子，但这种译法掩盖了保罗的一个重要信息。其实，在希腊文圣经里，21 节是前面长句的最后一个从句，而在前面那个长句里，保罗描述了一个人"被圣灵充满"的种种表现，被圣灵充满的最后一个表现就是 21 节：不再骄傲和自私，从而愿意谦卑地服侍别人。在讲了

“圣灵使人能够顺服”之后，保罗才转而论述妻子和丈夫的责任。

当代西方读者立刻把注意的焦点（也经常是愤怒的焦点）集中于“顺服”这个词，因为对我们来说，这个词触到了“性别角色”这个敏感话题。但是，如果我们揪住这个词不放，争个没完，那我们就错失了保罗的要点。保罗其实在说，他下面关于婚姻的一切话都有一个前提，这个前提就是夫妻双方都被圣灵充满。你必须靠圣灵的能力学会如何服侍别人，只有这样，你才能面对婚姻的挑战。

新约第一次详细讨论圣灵的工作，是在《约翰福音》。耶稣非常重视关于圣灵工作的教导，所以他在离世的前夜花了很长时间来教导门徒。当我们听见“圣灵充满”的时候，我们会联想到某种内在的平安和力量，而这确实是圣灵充满的结果之一。然而，当耶稣讲到圣灵的时候，主要是说圣灵是“真理的灵”，“他要把一切事教导你们，也要使你们想起我对你们所说过的一切话”（约 14:17,26）。圣灵“要荣耀我，因为他要把从我那里所领受的告诉你们”（约 16:14）。这是什么意思呢？

“告诉你们”的原文意思是“昭示天下”。所以，圣灵的工作就是让信徒认识到，耶稣的位格和作为有怎样的意义，这意义如此丰盛无限，如此荣耀美善，足以让信徒刻骨铭心。[2] 这就是为什么保罗在《以弗所书》的开头祈祷说，求主“使你们心灵的眼睛明亮”（弗 1:18），好用大能使你们“领悟基督的爱是多么的长阔高深”（弗3：18）。圣灵的工作就是让人明白真理，认识耶稣，开启我们的心智，感动我们的肺腑，带来安慰，赐下能力，彻底改变我们。

所以，“被圣灵充满”就是过喜乐的生活，静默有时，激情有时。神荣耀的真理和耶稣救赎之工的真理，不仅要用头脑去信，还要在我们心里演奏乐章（弗5：19），滋养我们的灵魂。“口唱心和地赞美主，凡事要奉我们主耶稣基督的名，常常感谢父神。”（弗5：19—20）并且因为歌唱的对象不是生活的顺境（环境是会变的），而是耶稣的真理和恩典（这是不变的），所以这首心中的诗歌不会因遭遇逆境而灰心消沉。

保罗在讲了被圣灵充满的人生之后，立刻转向婚姻的主题，证明“婚姻”与“住在圣灵里”具有紧密的联系。这种联系教我们明白两件事。

第一，这里婚姻的画面不是两个匮乏的人，不晓得自己的价值和人生目标，在彼此的臂弯里寻找人生意义。如果你把两个吸尘器加在一起，只能得到一个吸力更大的吸尘器，以及震耳欲聋的吸气声音。这不是保罗的本意。保罗假设夫妻双方已经解决了生活中的大问题——神为何造了他们，以及他们在基督里的地位。当然，没有谁能随时以神为乐。这种欢喜的心情不是自动的，也不是持续的。否则，保罗就不用在18节劝勉说“要让圣灵充满”。我们经常跑着跑着就没油了——在属灵的意义上——但我们必须知道加油站在哪儿，更重要的是，我们必须知道加油站存在。基督徒试过所有一切东西之后，总算明白了一点：尽心尽性地敬拜神、因耶稣基督所作成的一切而相信神的爱，这才是他们灵魂前行所需的燃料。就是这种认识和情感打燃基督徒内心所有汽缸。不明白这点，就当不好配偶。只有神才能充满我们生命的油箱，如果指望配偶，就是缘木求鱼。

彼此顺服

所以，只有当你被圣灵感动，你才能披挂上阵，迎接婚姻总体上的种种挑战。而且，你必须被圣灵充满，才能服侍好配偶，尽到具体的责任。在22—24节，保罗说，妻子应当顺服丈夫，这句话颇受争议。然而，保罗紧接着叫丈夫爱妻子如同基督爱教会，“为她舍己”（弗5：25）。也就是说，保罗紧接着呼吁丈夫完全放弃私心，这个要求比前面给妻子的更高。我们会看到，这两个劝勉各不相同——丈夫和妻子的任务并不一样，然而，双方同样要为对方作出巨大牺牲。不论我们作丈夫还是作妻子，都要为对方而活，不能只顾自己。这是夫妻关系中最困难又最重要的任务。

这里，保罗把基督徒生活的一个普遍原则应用于婚姻：凡是真明白福音的基督徒，在处理人际关系方面都经历了彻底的转变。在《腓立比书》2：2—3，保罗直言不讳地说，基督徒应当“谦卑，看别人比自己强”。注意，他没有说，我们应当不切实际地努力让自己相信所有人在所有事情上都比我们强。那是胡扯。不，我们应当顾念别人，重视别人的利益超过我们自己。保罗还说，我们应当"不求自己的喜悦，务要叫邻舍喜悦，好让他得到益处、得到造就，因为连基督也不求自己的喜悦"（罗 15：1—3）。保罗甚至告诉基督徒要成为彼此的"奴仆"（*douloi*，加 5：13），这个词的本义是"失去人身自由的奴隶"。因为基督降卑自己，成为奴仆，好满足我们的需要，他甚至为我们舍命；如今我们也要作奴仆，彼此服侍。

这幅画面颠覆了当代人的思维，甚至让我们感到厌恶。我们怎能作奴仆？保罗的这个比喻，不是说我们彼此的关系真的和古时候奴仆伺候主人一样。保罗的意思是：仆人首先考虑主人的需要，然后才考虑自己的需要，所有基督徒都应当这样彼此以恩相待。而且，既然所有基督徒都这样彼此服侍，丈夫和妻子岂不更要积极主动地彼此恩待？不论我们如何界定丈夫的角色，都不能忽视这个原则。虽然保罗说丈夫是妻子的"头"，但同时，根据《加拉太书》5：13，丈夫仍然是妻子的基督徒弟兄和奴仆。丈夫和妻子必须彼此服侍，彼此舍己。这不会否定人际关系中权柄的运用，但可以彻底转变运用权柄的方式。[3]

在朋友和同事关系中，把别人的利益放在自己之前、努力让别人满意，这已经够难了。而要在婚姻里实践这些原则，更是要彻底牺牲。夫妻整天在一起，"谁让谁满意、谁付出多少”这种问题每隔几分钟就会蹦出来。而且，这种问题一蹦出来，就有三种选择：你甘心乐意地服侍对方；你怀着冷漠和怨恨的心情服侍对方；你自私到底。两个人常常以第一种方式彼此恩待，婚姻才能幸福。可是，这实在是太难了！

凯西和我记得一件事，我们婚姻史上的一件大事。多年前，我们去新英格兰探望朋友，那里正好是我们从前读神学的地方。我们夫妻俩带着三个儿子住在朋友家。我很想去附近的神学院书店看看，说不定能淘到些有趣的书。但我知道，我去逛书店就意味着一家人不能在一起做别的事情，而且凯西就得一个人照顾孩子。我不敢提这事，暗想凯西会猜到我的心事，主动提出给我时间去逛书店。但是她压根儿没提，于是我就对她的“不善解人意”耿耿于怀。她当然应该知道我很想去书店看看！我工作非常努力——为什么她不主动提议让我出去一下午呢？我完全应该休息一下。我开始猜疑，她其实知道我想去书店，却故意置之不理。

我很不情愿地帮凯西带了一天孩子，心里为自己愤愤不平。最后，我终于向她讲了我的想法，说我因为没去书店而很不高兴。她当然也很不高兴，说：“是，要是你去逛书店，我就会更辛苦一些，但我宁可你去书店。我从来没机会给你什么礼物，而且你总是施恩于我。你不给我机会来服侍你！”

然而，我立刻意识到我不愿意被服侍！我不想让自己有求别人，不想接受别人的馈赠。我剥夺了凯西恩待我的权利，而她为此非常失望，甚至感到被侮辱。我们一路气鼓鼓地开车回家，谁都没有说话。我不明白这到底是怎么回事。

后来，我逐渐明白了。我想服侍别人，是的，因为这让我感觉自己优越，然后我就可以立足于道德高地。但这种“服侍”根本不是服侍，而是操纵。我不给凯西机会来服侍我，反倒因此没服侍好她，而背后的原因是我太骄傲。

正是在这点上，圣灵大大帮助我们。保罗在每段经文都把愿意服侍的心与福音本身联系起来。福音是什么呢？福音就是：你彻底失丧，满身缺点，罪不可赦，以至于耶稣必须为你去死；可是你又大蒙眷爱，极其宝贵，以至于耶稣甘心乐意为你而死。现在，天父全然悦纳你，不是因为你配，而是因为神白白的恩典。我不愿意让凯西服侍我，这归根结底是拒绝让恩典在我生命中做主。我想靠自己赢得一切。我不想接受任何人的礼物。我想施恩于人，好感觉自己是慷慨的恩主，让自己感觉良好。但我不想接受别人的服侍。我的心仍然按照“靠行为称义”的模式运行，尽管我的头脑已经接受了福音的基本命题，知道我们活着是唯独本乎神恩，唯独因信基督。

福音的这些信息既使我们俯伏屈膝，又让我们昂首挺胸。福音应当同时产生这两种效果。福音告诉我们，我们真是自我中心的罪人。福音彻底戳穿我们自以为是的幻想，让我们晓得自己并非生性善良，也没有什么比别人强。但福音也让我们感觉被爱，被肯定，这种感觉前所未有，超乎想象。这意味着我们不需要通过不停地服侍和工作来赢得自我价值。这也意味着，当我们得不到安慰、赞扬或回报的时候，我们不再纠结。我们再也不用锱铢必较了。如今我们可以自由地给予礼物，也可以坦然地接受馈赠。

那么，为什么我没有让福音在我和凯西的关系中做主呢？那是因为，虽然我脑子里相信福音，心里却是另一番景象。圣灵——真理的灵——必须把福音送入我们的内心深处，真实地感动我们，最终改变我们。只有这样，我们才能去服侍别人。

自我中心

培养婚姻中的服侍心态，最大的障碍就是第 1 章讲到的问题——人类的罪性：根深蒂固的自我中心。自我中心是很多婚姻中最具破坏力的问题，并且是每个婚姻里永远不变的大敌。婚姻一开始，它就是婚姻当中的癌症，并且是致命的癌症。在《哥林多前书》13 章经典的“爱的颂歌”里，保罗说：

爱是恒久忍耐，又有恩慈，爱是不嫉妒，不自夸，不张狂，不作失礼的事，不求自己的益处，不轻易动怒，不计较人

的过犯。（林前 13:4—5）

保罗反复强调，爱就是“不求自己的益处”。保罗列举了自我中心的许多表现：没耐心、容易发怒、讲话刻薄、缺乏恩慈、嫉妒、怀怨。在夏皮罗对离婚夫妇的采访中，明显可以看出这个问题是婚姻破碎的根源。双方都以自我为中心，都提出自己的主张，结果对方回敬以更大的不耐烦、怨恨、粗暴和冷漠。换句话说，他们用自己的自我中心来反击对方的自我中心。因为自我中心的本质就是让你敏锐地觉察到对方的自我中心，并且因此受到冒犯，感到愤怒，与此同时却看不见自己的自我中心。[4] 结果总是双方关系螺旋式下降，陷入自怜、愤怒和绝望，最终感情被啃噬得一干二净。

但是，一旦圣灵感动你，让你认识福音，你就会足够快乐，从而让自己可以谦卑；福音能给你内在的满足感，让你可以自由地恩待别人，哪怕你没有从双方关系中得到回报。如果没有圣灵的帮助，如果主的荣耀和爱没有持续注入你心灵的水库，你就不可能真正顺服，不可能持续体贴别人的益处；就算是顺服和体贴，迟早也会变成自义和怨恨。我称之为“爱的经济学”。银行里有存款，才大方得起。同样的道理，如果对你来说，爱的源头和人生意义的源头是你的配偶，那么对方一旦让你失望，你所经历的就不是哀伤，而是情感的灾难。然而，如果你晓得圣灵在你生命中的工作，就有足够的爱存在“情感账户”里，就可以包容你的配偶，哪怕你当时没有得到多少情感的回报或恩慈。

想拥有美满的婚姻，就需要圣灵所赐的能力：能够服侍别人、能够摆脱自我中心、能够把别人的需要置于自己的需要之前。圣灵的工作就是让福音感动我们的心，这种感动会弱化我们内心的自我中心原则。如果不借助某种超自然的力量，我们不可能对抗自我中心的本性，不可能有一种服侍别人的基本心态。[5]

那么，若想得到婚姻中的幸福，首先必须靠圣灵的能力来舍己和服侍。也就是说，双方必须持续把对方的幸福放在自己的幸福之前，才能找到自己的幸福；而这种无私的心态，只能出于对耶稣的感激之情，感谢他为你所成就的大恩。有些人会问："如果我把对方的幸福摆在我自己的需要之前，对我有什么好处？"回答就是——真正的幸福。这就是你得到的好处，但这种幸福是通过服侍别人，而不是利用别人。这种幸福对你没坏处。这是来自"给别人快乐"的快乐，来自"付出昂贵的代价去爱别人"。今天的文化宣扬"以我为主的婚姻"，认为把对方的利益放在自己的利益之前这种提议是压抑人性。他们这样说，是因为他们没有深入了解基督教关于现实本质的教导。基督教的教导是什么呢？

首先，基督教说，神是三位一体的——也就是说，三个位格在同一位神里面。并且，《约翰福音》17 章和其他经文告诉我们，从亘古到永远，父、子和圣灵彼此荣耀、彼此尊崇、彼此相爱。所以，在神性当中，有一种"以他为主"的特质。当耶稣基督上十字架的时候，他只是秉性而行。正如C. S. 路易斯所写，当耶稣为我们舍命的时候，他只是“在穷乡僻壤的恶劣天气中做了在自己家里怀着荣耀喜乐常做的事”：舍己。[6]

然后，圣经说，人类是按照神的形象造的。所以，我们被造当然是为了敬拜神，我们活着是为了荣耀神，不是为了我们自己。我们被造是为了服侍神，服侍别人。这意味着，如果我们试图把“追求自己的幸福”摆在前面，把“顺服神”放在后面，那就是违逆自己的本性，最终以悲惨收场。这看似矛盾，却是真理。耶稣说：“凡是想救自己生命的，必丧掉生命。但为我牺牲生命的，必得着生命”（太 16：25），他说这句话就是在重申这个“舍己”的原则。耶稣在说：“如果你追求幸福胜过寻求我，就连一样也得不到。如果你服侍我胜过服侍自己，就能既得到幸福，又得到我。”

保罗只是把这个原则应用于婚姻而已。努力服侍对方，让对方满意，而不是努力追求自己幸福，你就能找到新的幸福，更深的幸福。很多夫妇发现了这个奇妙的、“恍然大悟”的真理。为什么会这样？因为婚姻是“神所设立的”，而舍己的爱是神的本质属性，所以这种爱反映了神性，尤其展现于耶稣基督的位格和作为中。

因此，当你面临婚姻问题的时候，首先要去寻找问题的根源：不同程度的自我中心和不愿意彼此服侍。保罗所用的“顺服”一词最早是军事术语，描述的是士兵无条件服从军官。为什么？因为人一参军就不能再控制自己的事情，不能自己安排度假休息，不能决定什么时候吃饭，甚至不能决定吃什么。要加入一个整体，要成为一个整体的一部分，就得放弃自己的独立地位。你必须放弃单边决策的自由。保罗说，这种舍弃自我权利的能力，这种服侍别人的能力，这种重视集体利益胜过自己利益的能力，不是一种本能；它不是与生俱来的，却是婚姻的真正基础。

这听上去压制人性，但这正是人际关系的精髓。实际上，有人认为这是万事互相效力的诀窍。你必须愿意放弃某个东西，才能得到这个东西。个人成就位于持续无私服侍别人的远端，而非近处。这是生活的普世原则：

> 连社会生活也是如此，你必须停止思考自己给别人留下什么印象，才能给别人留下好印象。文学艺术也是这样，整天挖空心思标新立异的人，永远不可能真正创新；而一旦你只想朴实地讲真理（毫不在乎这事被别人讲过多少次），十有八九会在无意中创新。这一原则贯穿生命的始终，适用于一切领域。舍弃自己，你会发现真正的自己。失去生命，你会得着真正的生命……凡是你舍不得的，没有一样真是你的……[7]

伤痕累累

我们看不见自己的自我中心，有许多原因。一个主要原因是自己受伤的经历。很多人结婚之前曾经被父母、恋人或前任配偶深深伤害。我说的不是那些虐待或性侵儿女的父母。我说的是比较普遍的现象，例如父母冷漠地对待孩子，或用言语伤害孩子的感情。然后是恋爱关系或以往婚姻中被对方伤害和背叛的经历。这些经历会让人非常难以信任异性，同时又让你深深怀疑自己的判断力和性格。“伤痕累累”混合了自我怀疑、自责、怨恨和幻灭。

带着这些背景记忆，我们结婚，闯入彼此的生活。然后，一旦发生冲突——这是不可避免的——我们的记忆就会引爆。受伤的经历让我们不能做正确的事，不能悔改、饶恕、分享恩典，这些基督徒基本行为规范都做不到，而这些东西都是经营婚姻所不可或缺的要素。为什么做不到？因为往日的伤痛让我们沉迷于自我，无法自拔。

当然，在别人身上，这种现象一目了然。你和那些受过伤害的人谈话，很快就会发现他们开始讲自己的事。他们执着于自己的痛苦和问题，甚至意识不到自己在别人眼里成了祥林嫂。他们看不到别人的需要。他们感觉不到别人的情绪变化，就算他们偶尔体谅别人，也是为了自己——他们想去“拯救”别人，以感觉自己是好人。他们用一种蛮横霸道的方式与人交往,因为他们实际上是在满足自己的需要,尽管他们在这点上自欺。我们永远是最后一个认识自己本相的人,别人都看见我们沉溺于自我,但我们总是浑然不觉。我们受伤的经历会加重我们的自我中心。你向一个经历过伤害的人指出对方自私的行为,对方会说:“哦,可能是吧,但你不懂我的感受。”对方会用伤痕为自己辩护。

有两个方法可以诊断和治疗这种处境。我们的文化普遍假设人性本善。如果有些人沉迷于自我,生活一塌糊涂,大家就说他们只不过是缺乏健康的自尊心。于是,我们就告诉他们要善待自己,要为自己活,不要为别人活。按照这种观点,我们无条件地支持那些受伤的人,鼓励他们阻止别人干涉他们的生活,我们督促他们找到自己的梦想,并且去实现梦想。我们以为这就是医治之道。但这种方法有一个问题:它假设人的自我中心不是与生俱来的,只是某种受伤体验的产物。这是一种非常流行的人性观,但值得注意的是,它其实是一个信条——它已经成了一种宗教。虽然没有哪个世界主要宗教讲这种鼓励自私的教义,但这却是很多西方人的流行观点。

但这种观点行不通。婚姻关系不可避免需要舍己,哪怕是日常生活中最琐碎的小事。如果有一方总觉得“因为我以前受过伤,所以凡事都要顺我的心”,这段婚姻不可能顺利,何况双方都这样想。

基督教则用不同的观点来分析这种处境。我们相信,虽然人受过很重的伤害，但人心的自我沉迷不是受伤的产物。受伤的经历只是加重了这个问题，使之定型。受伤的经历是火上浇油，尽管火焰和浓烟令人窒息，但人的自我中心原本就存在。所以，如果你只是鼓励别人“永远为自己着想”，你只会让对方重蹈人际关系破裂的覆辙，婚姻更是如此。这不是说我们不需要温柔、耐心地对待受伤的人，不需要肯定和赞扬他们。这些都需要，但这些不是全部。自卑的人和自傲的人都是自我中心，满脑子想的都是“别人怎么看我，别人怎么待我”。一个人很容易从自卑的网罗跳进自傲的陷阱，生活依旧是一塌糊涂。

面对私心

保罗说，福音可以解决这个问题。保罗的话如雷贯耳：

> 他替众人死了，为的是要使活着的人不再为自己活着，却为那替他们死而复活的主而活。（林后 5:15）

根据圣经，罪的本质就是：人不为神和周围的人活，而为自己活。这就是为什么耶稣可以把所有律法——神对人的全部旨意——总结为两大诫命：爱神，为神而活，不为自己活；爱别人，关注别人的需要，胜过自己的需要（太 22:37—40）。

我们对待每个人都要温柔，尊重，尤其对那些受过伤的人更要耐心，因为他们特别敏感。然而，每个人都要认识到一点：自私并非来自伤害他们的人，别人恶劣的行为只是加重他们自私的程度。而且他们必须自己克服这个问题，否则就会永远痛苦。

在今天的西方文化里，你决定结婚是因为你觉得对方吸引你。你认为对方很好。但一两年过后——或者通常一两个月之后——会发生三件事。第一，你开始发现这个好人是多么自私。第二，你发现这个好人也对你有同样的看法，并且对方开始抱怨你多么自私。第三，虽然你承认自己也有部分问题，但你最终认定对方比你更自私。如果你从前生活艰难，受过许多伤害，那么婚后的情况更是如此。你在心里默想："好吧，我不应该这样——但你不理解我的感受。"这种伤痛感让我们忽视自己的自私。而且，很多夫妻在结婚之后不久就走到这一步。

那该如何是好呢？至少有两条路可以走。第一，你认定自己受伤超过自私，于是下定决心，除非对方看见他的问题并且照顾你的感受，否则就和对方没完。当然，你的配偶不太可能迎合你的想法——如果对方对你也抱同样的想法，就更不可能迎合你了！因此，紧接着就是感情的疏远和艰难协商的停战。你们达成某种默契，双方都不提某些事情。你厌恶配偶做某些事情，但你不再谈这些事情，只要对方不提你的某些事情。双方都不为对方作出改变；只有锱铢必较的讨价还价。安于这种关系的夫妇可能看上去是美满的一对儿，结婚四十年都是如此，但是，等到拍金婚纪念照的时候，他们吻得很别扭。

除了这种“停火协议式婚姻”，另一个出路是承认自己的自私，认为这是婚姻问题的根源，并且下决心改变自己，而不是去改变对方。因为只有你才能处理自己的自私问题，也只有你才能完全对此负责。所以，夫妇双方都应该认真读圣经，下决心“舍弃自己”。你应当停止为自己的自私辩护；一发现自私，就根除它；别看对方的行为。如果双方都说“我认为我的自我中心是婚姻的主要问题”，那么你们就会拥有真正美满的婚姻。

从我开始

两人可能都不采取行动，也可能两人一起努力。但还有一种可能性：一方下决心按照《以弗所书》5:21 的原则来生活，另一方却不愿意。我们假设你是那个下决心的人，“我要改掉自私的毛病”。这样会发生什么事呢？通常，另一方不会立刻做出回应。但是，很多时候，你的态度和行为会逐渐软化对方的心。对方会看到你在受苦。而且，因为你不再总是把自己的委屈挂在嘴上，你的配偶也会更乐意承认自己的过错。所以，如果双方决心改正自私的毛病并且服侍对方，你们的婚姻前景就会非常美好。哪怕只有一个人行动，前景也是光明的。

这让我联想到《创世记》4 章的内容，神看着该隐这个极度自怜的人，对他说："罪就伏在门口了；它要缠住你，你却要制伏它。"(7 节)我们必须明白，你生命中"以自我为中心"的原则就伏在门前！它要占有你，抓住你，吞噬你。你必须行动！神让你舍己，你必须舍了自己，才能得着自己。如果你不靠圣灵，如果你不相信基督为你所成就的一切，那么，一味放弃自己的权利和欲望，就意味着"咬牙切齿"和"忍字心上一把刀"。但是，人若在基督里，有圣灵的同在和保守，舍己就是得到自由和释放。

就"如何拥有美满的婚姻"这个问题，当代有许多似是而非的流行模式；而上面所讲的原则可以纠正这些模式的错误。

有一种保守的思路，特别强调传统的性别角色。它说，婚姻的基本问题是丈夫和妻子双方都需要服从各自的性别角色，因为这是神所赐的社会功能，也就是丈夫要做家里的头，妻子要顺服丈夫。这种思路非常重视男性和女性的差异。但这种思路的问题是，过于强调性别差异可能会鼓励自私，尤其会让丈夫变得专横。

另外还有一种世俗的思路，认为婚姻的问题其实是你要让对方承认你的潜力，并且帮助你发展你的潜力。千万别让配偶糟蹋你。自我实现才是婚姻的目标。你必须通过婚姻发展自己，而且如果配偶不配合，你就得和对方谈判。

如果对方不愿意谈判，你就得赶紧脱身，解放自己。当然，这是在给自私火上浇油，而不是泼水。[8]

但是，基督徒的原则是“出于圣灵的无私”——不是小看自己，也不是高看自己，而是少看自己。出于圣灵的无私，就意味着你的心思不再聚焦于自己，你意识到一切需要都必将在基督里得到满足，并且正在真实地得到满足，所以你不需要指望配偶作你的救主。深深领会福音的人，可以坦然承认自己的自私是婚姻的问题所在，承认自己正在努力改正。而一旦这样做了，他们就会立刻得到一种释放，感觉自己从噩梦中醒来。在圣灵的光照下，他们看见自己从前多么小气，他们看见那些真正要紧的大事，与之相比，自己那些鸡毛蒜皮的小事是多么微不足道。那些不再钻牛角尖整天抱怨自己多么不幸的人，会发现自己越来越幸福。你必须舍弃自己，才能找到自己。

敬畏基督

《以弗所书》5:21 的关键引文当中，还有一个词需要注意。保罗说，我们应当“常存崇敬(reverence)基督的心”，彼此顺服。这是许多当代英文译本的译法，但保罗的原文是我们应当“敬畏(fear)基督”。“崇敬”这个词不足以表达保罗的意思，但“敬畏”也有歧义，因为“敬畏”有惊恐、害怕的意思。那么保罗到底是什么意思呢？

“敬畏主”这个词在旧约里很常见，我们读旧约的时候，遇到一些很奇怪的说法。“敬畏主”经常与“大喜乐”连在一起。《箴言》28:14 说：“常存戒惧之心的，这人就为有福。”一个人总是心存畏惧，又怎能感到幸福呢？《诗篇》130:4 可能是最奇怪的，作者说：“但你有赦免之恩，为要使人敬畏你”——赦免和恩典会增加敬畏之情。其他经文说，我们受教和成长是因敬畏主（代下 26:5；诗 34:11），而敬畏主的特征是赞美、希奇和喜悦（诗 40:3；赛 11:3）。怎么会这样呢？有人这样解释《诗篇》130 篇：“奴仆的恐惧会因赦罪而减少，而非增加……所以，旧约的‘敬畏主’是表明人与神有正确的关系。”[9]

显然，敬畏主不是害怕，尽管希伯来文确实是这个意思。圣经里的“敬畏”，意味着完全的服从。“敬畏主”就是由衷佩服神的伟大和慈爱。这意味着：因为神如此圣洁，神的爱如此伟大，所以你看他是“美得令人敬畏”。这就是为什么我们越经历神的恩典和赦罪，我们越敬畏他的伟大和作为。敬畏主意味着看见他的荣美而屈膝跪拜。保罗提到基督的爱“催逼着我们”（林后 5:14）。是什么感动你、驱动你？是渴望成功吗？是你需要向父母证明自己？需要同事尊重？是因为你怨恨那些轻慢你的人？保罗说，如果这些东西对你的控制和影响胜过神的爱对你的感动，你就不可能无私地服侍别人。只有对主耶稣的敬畏之情才能让我们得到解脱，可以彼此服侍。

这些话听上去都很深奥，但 21 节表明，我们必须按照这个道理来处理各种人际关系。

我认识一位近四十岁的女士，没结过婚。她家人和当地人都认为，女人到了这个年纪还不结婚，肯定有大问题。她觉得很羞耻，感觉自己做女人很失败。因此，她对自己的前男友心怀愤怒，因为他和她约会多年却不愿意娶她。这种苦毒的情绪总是无法化解。

后来，她去寻求心理辅导。治疗师对她说，她把家庭观念当作了自己的价值观，就是说，女人应当嫁人生子才有价值。她怨恨这个男人是因为他阻碍了她得到家庭幸福，而她必须建立家庭，生活才有意义。然后，心理医生建议她应当摆脱这种愚昧的观念，努力追求事业。“如果你看到自己是成功人士，就不需要男人或别人赋予你价值感。”于是，她开始摆脱家庭和文化对女性的看法，追求事业。她开始觉得还不错，但后来发现自己仍然无法摆脱对前男友的怨恨之情。

这时候，她来到一间教会，第一次听明白基督的福音。她发现福音根本不是自己从前所想的那样——我们要行善积德，把这些东西当作供物献给神，然后神拯救我们。不是！基督的福音是说，耶稣基督替我们行善积德，并且是至高的善，完全的德，我们信他，就白白得着这一切。他活出了完全的生命，是我们当行却不能行的，他又替我们而死，于是，我们信他就罪得赦免，并且“在他眼中看为义”。我们完全被神接纳，成为蒙爱的儿女，并且只有他的接纳和爱才真正重要。

她逐渐认识到，前面那位善意的心理医生只说对了一半。确实，她不应当通过男人的爱来寻找自我价值。那是陷阱。那让她过于在乎男人对她的看法。可是，心理医生让她通过追求事业和成就来认可自己，这也有问题。这意味着她的自我形象取决于事业成功和经济独立。心理辅导者在劝她用一个"靠行为称义"的体系来取代另一个错误体系！所以她说："我干嘛要离开'家庭是全部生命'的女人行列，加入'事业是全部生命'的男人行列？从前，我因感情受挫而痛苦，现在不也因事业受挫而痛苦？不行。我得安息在基督的义里面，学会因基督而喜乐。然后我就可以对着男人和事业说，'是基督使我在神眼中看为美好，不是你们。'"

她这样做了。她很快发现自己不再像以前那么忧虑工作上的事，不仅如此，她越来越强烈地感到神在基督里的大爱。她开始经历所谓的"情感的财富"，这是一种被深爱的满足感，可以让我们真正胸怀宽广，当别人误解我们的时候，可以一笑置之。她对前男友和对男人的怨气也逐渐消退了。过了几年，出乎她的意料，她遇到一个男人，两人坠入爱河，结婚了。回首过往，她心里不禁感叹，假如当初嫁给原来的男友，那肯定是一场灾难。她会指望他给她幸福，而真正的幸福唯有基督才能给她，所以她不会感到满足，更不会好好服侍他，关心他。

希伦布兰德(Laura Hillenbrand)写的一部畅销传记最能说明这个原则，它讲的是二战英雄赞佩里尼(Louis Zamperini)的真实故事。1943 年，赞佩里尼在太平洋上执行任务时，飞机坠毁，机上人员几乎全部牺牲。在鲨鱼出没的海面漂了四十七天之后，他和另一位幸存者落入日本人手里，在战俘营里熬了两年。这两年里，他们经常挨打，饱受羞辱和折磨。

战争结束后，赞佩里尼回国了，他得了严重的战后创伤压力紊乱症，并且染上酗酒的毛病。妻子辛西娅对婚姻失去了希望。赞佩里尼整天幻想和盘算着怎么回到日本去杀死“老鸟”——那个经常在战俘营里折磨他的日本军士。一天晚上，他梦见老鸟压在他身上，他挣扎着自卫。一声大叫惊醒了他，原来他正跨在辛西娅胸口上，双手勒住怀孕妻子的喉咙。不久以后，辛西娅提出离婚。他很痛苦，但即便是失去妻子和孩子这种威胁，也不能让他停止酗酒，不能终止他的自毁行为。他摆脱不了过去和怨恨，无法改变自己，哪怕是为了家庭。

然后，1949 年秋季的一天，辛西娅的朋友告诉她，有一个名叫葛培理(Billy Graham)的年轻宣教士正在城里召开一系列福音布道大会。她去参加了，并欢欢喜喜地回到家中。她立刻对赞佩里尼说，她不想离婚了，说她经历了一场属灵的更新，并且希望他陪她去听葛培理讲道。耐不过她反复劝说，他跟着去了。那天晚上，那位年轻的传道人所讲的主题是"人都是罪人"。赞佩里尼听见就火了，他心想："我是好人"，但他一这样想，"就感到我在骗自己"。过了几天，他又来听道，并且走上前去悔改，接受基督为救主。

赞佩里尼立刻就戒了酒。但更重要的是，他感到神的爱洋溢在自己的生命中，并且意识到自己可以原谅从前关他打他的人。长期煽动仇恨、造成痛苦的那种羞耻感和无力感消失了。他与辛西娅的关系也"得到更新和进深。他们在一起过得很幸福"。1950 年 10 月，赞佩里尼回到日本，通过翻译向监狱讲话，那里关着不少从前的战俘营看守。他对他们说，基督的恩典带来赦罪的能力，而且，令这些囚犯深感震惊的是，他热情地拥抱他们每一个人。[10]

我举这个例子有点犹豫，因为这种特殊的见证可能会导致误解，让人以为信主必定会带来立即的转变。赞佩里尼的情感伤痛特别深刻，而圣灵的工作——让我们认识神在耶稣基督里的爱并且因此而感动——在他身上也特别有效。虽然圣灵的工作并不总是如此突然和明显，但圣灵工作的本质是一样的。圣灵给辛西娅希望，又让赞佩里尼得到解脱，摆脱怨恨，因此他们的婚姻也得到更新。圣灵对人的影响总是好的，不论这种影响是晴空霹雳还是润物无声。

我们既然因信称义，就借着我们的主耶稣基督，与神和好。我们也凭着信，借着他可以进入现在所站的这恩典中，并且以盼望得享神的荣耀为荣……盼望是不会令人蒙羞的。因为神借着所赐给我们的圣灵，把他的爱浇灌在我们的心里。（罗 5：1—2，5）

赞佩里尼真实地忍受了肉体的折磨，心里的羞耻、愤怒和恐惧吞噬了他的爱心，让他无法爱别人，服侍别人。其实我们每个人都和他一样，我们进入婚姻的时候，都带着一个旧我，一个紊乱的内在生命。我们很多人试图用工作成就来克服自我怀疑。有的人想找一个漂亮聪明的恋人，从对方那里得到永不止息的爱和肯定，让自己感觉良好。这会让双方的关系变成某种救赎，但没有任何人能做到这点。

所以，保罗说，你们要"常存敬畏基督的心"，彼此相爱，他这样来引入婚姻的话题，用意颇深。我们受各种私欲驱动进入婚姻，包括恐惧、欲望和自私的想法。如果我指望婚姻来填满内心那个"唯有神才能填满的属灵空洞"，就不能服侍好配偶。只有神自己才能填满那个空洞。我必须在生活中尊崇神，摆正神的位置，否则我会不停地抱怨配偶不够爱我，不够尊重我，不够支持我。这些都可能是事实，但是，如果神的爱没有真正感动我，我就不能凭爱心对她讲这些话，也不能好好服侍她。

更加敬畏神

说到底，“被圣灵充满”和“敬畏主”基本上是同一件事。它们都是指一种内在的、属灵的体验和现实，但这两种说法强调不同的方面。[11]它们都让人“脱离自我”。保罗说，我们必须具备这种出于圣灵的无私之心，才能得到真正美满的婚姻。基督的牺牲和爱感动我们，让我们又惊奇，又欢喜；这种心态是新约一切呼召的驱动力，有了这种感恩的心，我们才能彼此尊重、彼此相爱、彼此服侍。保罗在《罗马书》15章说，我们不求自己的喜悦，因为基督在十字架上不求自己的喜悦。在《腓立比书》2章，使徒保罗说，我们应当看别人比自己强，因为基督来到世界上，不以自己的尊贵身份为强夺的。他来俯就我们，倒空自己的荣耀，服侍我们，甚至为我们舍命。让圣灵将这个真理铭刻在你的心里，直到爱心涌动，直到你由衷地赞美他奇妙的大工。然后，有了这种“敬畏的心”，有了这种“被圣灵充满”之后，我们才能转身善待配偶，在恩典里凭爱心尽责。

那么，问题是我们如何才能真正被圣灵充满呢？我们如何才能更加敬畏主，脱离其他一切恐惧呢？当然，光是讨论这个问题，这本书的篇幅就不够用了。但有一个例子会帮我们理清思路。

几年前，我的一位老听众犀利地发现一个问题。他对我说:“要是你仔细预备讲章,就会引述许多作者;但是,要是你没有好好预备,就只引述 C. S. 路易斯。”他说得对。这是因为我多年来读了路易斯的每部作品。我刚成为基督徒的时候,他的书解答了我在信仰上的种种疑问,超过其他任何书籍。多年来,我反复阅读他的作品,好些章节可以信手拈来。我还读了一些他的传记和许多个人书信。

一旦你深入一个人的生命和作品到这种程度,就会发生一件奇妙的事。你不仅熟悉他的书,而且洞察他的心。你晓得他会如何回应某个特定问题,知道他会对某个具体事件作何反应。我即兴演讲的时候,路易斯就滔滔不绝地讲话,因为他确实在场,他是我思想的一部分。

那么,如果我们更深地进入耶稣的教导、生命和事工,会有怎样的效果?如果我们沉浸于他的应许和呼召,接受他的教导和激励,让他掌管我们的内在生命,抓住我们的思想,以至于每当我们面对挑战,他的话语就自然而然地冒出来,又会发生什么?如果我们本能地、下意识地知道耶稣对我们所遇到的事情有什么想法和心情,又会如何?那样的话,当你受到批评的时候,你不会觉得天塌下来,因为耶稣的爱和接纳在你心里牢牢扎根,他总是“在场”;当你批评别人的时候,你会温柔和忍耐,因为你心里全都浸透了耶稣对你的爱、忍耐和温柔。

这并不意味着你每次受到批评时都有意识地、刻意地去思想“耶稣对此会说什么”,你不用这样去思考,因为耶稣和耶稣的话语深藏在你心里，它们会自然而然地坚固你，使你仰起头来。它们会成为你的一部分。你用耶稣的眼光审视自己；你也用耶稣的眼光审视世界。这成为你固定的思维模式。

当然，这不会一蹴而就。它需要多年的沉思和反省。还需要有规律的祷告、查经和读书，常常与朋友交谈，参加有生命力的公众崇拜。但是，不同于学习其他思想家或作家，耶稣的灵主动住在你里面，并且用圣灵照亮你的心，让你看见福音的荣耀。然后，福音"丰丰富富地住在你们心里"（西3:16），我们就有力量去服侍，去正确地批评和接受批评，不再指望配偶或婚姻来满足我们的一切需要，并医治我们的一切伤痛。

两种"爱的思路"

布莱克（William Blake）在他的《经验之歌》（Songs of Experience）中表明，有两种截然不同的恋爱方式。他的话很打动人：

> 爱不讨自己的喜悦，
> 也不顾自己的益处，
> 乐见别人得到满足，
> 虽在地上如在天堂。

爱只讨自己的喜悦，
全不顾别人的益处，
乐见别人不得满足，
虽有天堂也成地狱。
——摘自《泥与石》(The Clod and the Pebble)

也许你觉得自己“发疯一样爱上”某人，但其实你只是感觉对方可以满足你的需求，消除你的不安全感和对自己的怀疑，于是觉得对方吸引你。在这种关系里，你会提出各种要求，试图控制对方，而不是服侍和给予。为了不将“配偶的喜乐和自由”杀死在“你的需求”的祭坛上，只有一个办法：转向你灵魂的终极恋人——耶稣基督。他甘心乐意在十字架上牺牲自己，替你承受了死刑，就是你得罪神并得罪人所配得的刑罚。在十字架上，他被弃绝，经历了最大的孤独和绝望，而他做这一切完全是为了我们。因为圣子耶稣的爱和牺牲，你如今可以借着圣灵的工作认识天父的爱。耶稣真正“在绝望的地狱里建立了一座天堂”，让我们在地如在天。并且，有了神的爱坚固心灵，你也能像耶稣一样舍己，凭爱心服侍你的配偶。

“我们爱，因为神先爱我们。”(约一 4:19)

第3章
婚姻的精髓

为了这缘故，人要离开父母，与妻子结合，二人成为一体。

《以弗所书》5:31（以及《创世记》2:24）

爱与“那张纸”

我记得几年前看过一部电视剧，一对同居的男女在争执要不要结婚。男方想结婚，但女方不想。后来她发火了，说：“干嘛非得要那张纸？我爱你用不着那张纸！那东西只会坏事。”

这句话让我印象深刻，因为我在纽约作牧师，听很多年轻人讲过同样的话。当她说“我爱你不需要一张纸”的时候，她是在陈述自己对爱的认识，这是一种非常明确的认识。她认为，爱本质上是一种特定的感觉。她在说：“我对你很有感觉，而这张纸不能增强我这种感觉，反而会破坏这种感觉。”她主要是用情绪和欲望来衡量爱，并且她的话并非毫无道理。婚姻的法律文书并不会直接增加两人之间的浪漫感受。

但是，圣经所讲的爱，并非如此单薄。圣经衡量爱，首先不是看“你想得到多少”，而是看“你想付出多少”。你愿意为这个人失去多少？你愿意为这个人放弃多少自由？你愿意在这个人身上投入多少时间、情感和资源？所以，婚姻誓言不仅有益于婚姻，而且也是一场考验。很多情况下，当一个人对另一个人说“我爱你，但别用结婚毁掉这种感觉”时，对方其实是在说“我对你的爱还不足以让我放弃其他选择，我对你的爱还不足以让我完全放弃自己”。说“我爱你不需要那张纸”，基本上就等于在说“我对你的爱还没有达到想结婚的程度”。

今天，美国文化广泛接受的信条是：浪漫的爱是最重要的，有爱就有美满的人生。可是浪漫总难长久。另一个与之相关的信条是：婚姻应当基于浪漫的爱情。两条结合起来，就得出一个结论：婚姻和爱情不可兼得。所以，根据这个结论，在浪漫的感觉褪去之后，持守一生的承诺就显得过于残忍。

圣经对爱的理解，并不排除深刻的情感。我们会看到，一段毫无激情的婚姻，并非圣经本意。但圣经也不把浪漫的爱情与爱的精髓——牺牲自己、造就别人——相互对立。如果我们认为爱主要是一种情欲，而非积极的、献身的服侍，那就把责任和情欲对立起来了。这种对立不仅不合乎现实，而且会破坏夫妻关系。本章的主题就是：责任和情欲如何相辅相成。

过于主观的爱情观

当代人用过于主观的方式来思考“爱”：爱情哪怕涉及一点点责任，也是不健康的。多年来，我辅导了许多受困于这种观念的人。尤其在性爱问题上，更是明显。很多人相信，如果你对性爱没兴趣，与配偶发生性行为只是为了取悦对方，那就是做作，甚至是强迫。这是完全主观的爱情观，它把爱仅仅视为激情和感觉。而且这种观念常常会迅速导致恶性循环：你和配偶必须同时有浪漫的心情，否则就不做爱——如果是这样，那么你们的性生活必定很少。这会挫伤甚至熄灭配偶的性趣，而这又意味着你们交流的机会变得更少。因此，如果你们非要等双方激情四射才做爱，那双方激情四射的次数就会越来越少。

我们的文化认为，性应当总是并且只是激情的结果。我们之所以接受这种观念，一个原因是今天很多人都已经学会如何在婚外偷情，而偷情与婚内性关系是相当不同的体验。婚姻之外的性行为伴随着一种强烈的情欲，一种想勾引人的欲望，就像打猎的快感。勾引某个不认识的人，会给做爱注入危险感、不确定感和压力感，让人心跳加快，情绪激动。如果这就是“很棒的性爱”，那么婚姻——“那张纸”——确实会扼杀这种刺激。但这种东西是不可能持久的。事实上，并非只有“猎艳”才让人激情澎湃，猎艳也不是最美好的选择。

凯西和我在结婚前都保持童贞。即使是在我们那个年代，守贞的人也不多。这也意味着，在我们的新婚之夜，我们不需要施展浑身解数让对方刮目相看，也不用勾引对方。我们所要做的，只是温柔地用身体表达美好的合一，就是我们当初一见如故的那种美好感受，以及随着恋爱而逐渐增强加深的默契。坦白地说，那个晚上我动作又笨又怯，心里又焦急又沮丧。一开始，我们笨手笨脚。这就像一个艺术家，脑子里有一幅构图或一个故事，却没有技巧表达出来。

然而，我们幸好不懂如何用性来勾引对方，也没把危险而禁忌的性刺激与爱混为一谈。在性爱方面，我们尽量袒露自己的无知，送给对方一份意外的大礼，就是“不加掩饰地欣赏对方，以对方为乐”，并且体会彼此取悦的快乐。几个星期过去了，几年过去了，我们越来越默契。没错，这意味着有时一方、甚至双方在做爱时都没有“那种心情”，但婚姻里那种为了给予对方快乐而非为了表现自己能力的性爱，可以当场改变你们的心情。美满的性爱让你忍不住流出快乐的眼泪,而非炫耀自己的表现。

消费? 圣约?

与当代文化形成鲜明对比,圣经说婚姻的核心是牺牲自己,成就别人。这意味着爱是行动,而不仅是情绪。但这样说又有另一种危险:走向古代社会和传统社会的错误极端。人们会把婚姻仅仅视为一种社会交易,把婚姻当作履行家族、部落和社会责任的途径。传统社会认为家庭是人生的最高价值,所以婚姻是促进家族利益的交易。当代西方社会则相反,把个人幸福当作最高价值,所以婚姻成了追求浪漫体验的途径。但圣经视神为至高的善——并非个人和家庭——这给我们一种合乎中道的婚姻观,这种婚姻观把感觉和责任、激情和承诺统一起来,因为圣经婚姻观的核心是神圣的盟约。

人类历史一直存在消费关系。卖方必须满足你的需要,并且价格不能太贵,这样才能维持关系。如果别的卖家提供更好的服务,或更低的价格,你就没必要与原来的卖方保持关系。在消费关系里,个人的利益得失比关系更重要。

人类历史同样一直存在圣约关系。这是对我们有约束力的关系。在圣约里,关系的重要性胜过个人的利益得失。例如,父母可能在情绪上感觉疲惫,不想照顾孩子。但是,那些因孩子难养而舍弃孩子的父母总是受到社会的严厉谴责。对多数人来说，那简直无法想象。因为社会仍然认为亲子关系是圣约关系，不是消费关系。

社会学家认为，在当代西方社会里，市场已经成为一股支配性力量，消费模式日益成为主流社会形态，取代了历史上的各种圣约关系，包括婚姻。今天，我们与别人的关系若即若离，别人得满足我们的特定需要，并且代价不能太高，我们才与他们保持关系。一旦我们不能从中受益，也就是说，一旦这个关系中我们需要付出的爱和肯定超过我们所得到的，我们就会“止损离场”，终止这段关系。这个过程也叫“商品化”，在商品化过程中，社会关系被贬低为经济交易，于是“圣约”这个概念正在当代文化中逐渐消失。因此，圣约是让许多人感觉陌生的概念，但圣经说，圣约正是婚姻的核心，所以我们不能掉以轻心。

垂直与平行

仔细读圣经的人会发现圣约贯穿整本圣经，无处不在。人与人订立“平行的”圣约。我们看到朋友之间歃血为盟(撒上 18:3,20:16)，国家之间也订立合约。但圣经里最显著的约是“垂直的”，是神与个人(创 17:2)、家族与民族(出 19:5)所立的约。

但是，在几个方面，婚姻关系是独一无二的，是人与人之间最深刻的圣约关系。保罗在《以弗所书》5:31 完整引

用《创世记》2:24,用这段经文引出“圣约”的概念。这或许是旧约圣经里最著名的讲“婚姻”的经文:

因此,人要离开父母,和妻子连合,二人成为一体。

我们在《创世记》2:22—25 看到人类第一场婚礼。《创世记》英文版用动词“cleave”描述当时的情景。这个生僻的单词带着希伯来原文的力度,而现代译本则译作“连合”。希伯来原文的意思实际上是“粘合”。在圣经的别处,这个词的意思是通过立约、承诺或起誓而与某人连合。[1]

为什么说婚姻是最深刻的圣约关系?因为婚姻既包含平行关系,又包含垂直关系。《玛拉基书》2:14 描述神告诫作丈夫的:“她是你的伴侣,是你立约的妻子。”(参结 16:8)《箴言》2:17 描述了一个蛮横的妻子,“她离弃年轻的配偶,忘记了神的约。”夫妻之间的盟约,既是二人所立的约,也是“在神面前”所立的约。打破婚姻盟约,就是离弃信仰。

这就是为什么很多传统的基督徒婚礼仪式会有立约和问答的环节。在问答环节,双方都要回答这类问题:

你是否愿意与对方共结连理?你是否愿意怀着爱和尊重、责任和忠诚、信心和温柔,向对方承诺:你愿遵守神的命令,对配偶不离不弃,惜如至宝,持守婚姻之圣洁连合?

双方都要回答“诚心所愿”——但请注意，他们不是对着彼此说话。他们比肩而立，眼睛向着同一个方向，一起回答牧师的问题。他们所做的，其实是先向神起誓，然后再彼此起誓。他们先“垂直地祈”，然后再“平行地求”。他们得以听见另一个人站在神、家人以及教会、国家的一切权柄制度面前，庄严信实地对自己起誓。然后，在这个基础之上，他们牵手，表示彼此接纳：

在神和众见证人面前庄严承诺并立约，不论富足或贫穷，不论喜乐或忧愁，不论疾病或健康，互相敬重，忠贞到底，至死不渝。

想象一栋有人字形屋顶的房子。两侧会合于房顶，相互支撑。但在下面，两侧都靠地基支持。同样，人当着神的面与神所立的约，坚固了二人，使他们有力量彼此立约。因此，婚姻是最深刻的人类盟约。

爱与律法

那么，圣约是什么呢？圣约是一种特定的连结，而这种连结正在我们这个社会迅速消失。这是一种特别亲密、特别个人化的关系，远非法律关系和商业关系所能比。然而，它又比那些仅仅基于感觉和情绪的关系更加稳固，更有约束力，更无条件。圣约关系是律法与爱的奇妙组合。

前面讲过，当代思维不认为责任和激情可以兼容，也不认为这两者可以相互依靠、相互促进。英国哲学家罗素在二十世纪早期就为婚外性行为辩护。虽然他承认我们不应该“把性爱与严肃的情绪和感动相分离”，但他认为性活动应当以强烈的激情和浪漫的快感为标志，并且性活动必须你情我愿、兴之所至才算美满。“一想到责任就败兴。”[2] 这种想法如今已经成了常识：性爱必须是为了满足即兴欲望，而非履行法律誓言或承诺。

但圣经的观点完全不同于此。爱需要一个有约束力的义务这样的框架，才能让爱臻至其应有的完全。不只是说，圣约关系虽在律法之下却仍是亲密的。它是更亲密的关系，正因为它合乎律法。何以如此？

首先，我们可以看出，向另一个人作出爱的承诺，宣告一个有约束力的、公开的婚姻誓言，这本身就是一个伟大的爱的行为。有人说：“我爱你，但我们用不着结婚。”这其实是说：“我对你的爱还不足以让我限制我的自由。”甘心乐意地进入一个有约束力的盟约，绝不会扼杀爱情，反而会促进爱情，甚至大大地激发爱情。婚礼上的承诺证明你的爱表里如一，它本身就是一个彻底舍己的行为。

婚姻的法律性质还会以另一种方式增强婚姻的生命连接。约会的时候，你得时常炫耀自己，取悦对方，用这种方式证明自己的价值，惟恐对方不满意。你得表现出你仍然有吸引力。如此一来，你们基本上仍然处于消费关系中，而这意味着你们必须常常搞促销、做广告。然而，婚姻的法律连结创造了一个安全的空间，我们可以敞开自己，展现真我。我们可以示弱，用不着再装模作样。我们不需要不停地推销自己。我们可以卸掉最后一层自我保护，不再自卫，从身体到灵魂都赤裸敞开，坦诚透明。

律法与爱的这种混合，契合我们最强烈的本能。切斯特顿（G. K. Chesterton）指出，我们恋爱的时候，总想发誓表白，这是一种本能。我们不仅想表达情感，还想做出承诺。恋人之间会不由自主地讲些山盟海誓。“我永远爱你，”我们在激情的顶点，总忍不住这样说，并且我们知道，对方也想听这些话。圣经说，真爱本能地渴望永恒。圣经当中的伟大情歌《雅歌》结束于这样的宣言：

求你把我放在你心上如印记，把我带在你臂上如戳印。因为爱情像死亡一般的坚强，嫉妒如阴间一般的坚稳。它的烈焰是火的烈焰，是非常猛烈的火焰。爱情，众水不能熄灭，洪流不能淹没。（歌 8:6—7）

两人真心相爱，而非利用对方满足性欲、谋求社会地位或自我实现——这时候，他们并不想改变现状。双方都想得到承诺，让自己心里安稳，并且都乐意给出承诺，让对方放心。所以,遵守誓言和履行承诺的“律法”契合我们当前最强烈的激情,但这个律法也帮助我们拥有平安的爱,让我们晓得未来的爱是有保障的。

将来的承诺:爱一辈子

几年前,我参加了一场非基督徒的婚礼,夫妻俩在婚礼上交换誓言。他们说的话大概如下:“因为我爱你,所以我想与你白头到老。”[3] 我一听这话,就意识到:传统基督教婚礼誓言有一个共同点,尽管它们有神学分歧和宗派差别。我所听见的这对夫妻正在表达他们现在的爱,这并无不妥,也相当感人。但这不是婚誓的重点。这不符合圣约的原理。婚誓不是宣告现在的爱,而是宣告将来的爱,是一个相互约束的誓言。一场婚礼不应该只是宣告你们现在心里多有感觉——这是不言自明的事。不,你在婚礼上要站在神、家人和众见证人面前,承诺你要永远爱对方、向对方保持忠贞和诚实。这是一辈子的承诺,不管你里面感觉如何起伏不定,外在环境多么变幻无常。

奥德修斯航行到塞壬岛的时候,他知道自己听见岩石上海妖的歌声就会发疯。他也知道这种疯狂状态是暂时的,只要离开听力所及的范围就可以恢复神智。他不想在发疯的时候干傻事,让自己后悔一辈子。于是,他命令水手们用蜡封住耳朵,把自己绑在桅杆上,告诉手下人要保持航线，不管他喊什么疯话都别理会。

前面讲过，纵向研究表明，如果不离婚，三分之二的不幸福婚姻将在五年内变得幸福。[4] 三分之二！是什么保护婚姻度过不稳定期？婚誓。一个向世人公开宣告的誓言会把你绑在桅杆上，直到你的头脑清醒过来，开始明白道理。这个誓言让你在激情消退的时候（那是必然的）继续留在婚姻关系中。与此相反，消费关系不能度过这些不可避免的生活考验，因为双方都没"绑在桅杆上"。

这是不是说人没有任何理由离婚呢？圣经中讲到过离婚的"理由"。《马太福音》19:3 一些法利赛人问耶稣，"人根据某些理由休妻，可以吗？"当时，有些犹太拉比教导说，只要男人对妻子感到不满，就可以随意休妻。男人可以凭任何理由甩掉糟糠之妻。然而，这样的婚姻根本不是圣约，只是所谓的消费关系。耶稣反对这种随便的观念，但他也没有走到另一个极端。

耶稣回答："造物者从起初'造人的时候，就造男造女'。'因此人要离开父母，与妻子连合，二人成为一体。'这些话你们没有念过吗？这样，他们不再是两个人，而是一体的了。所以神所配合的，人不可分开。"他们就问："为什么摩西却吩咐'人若给了休书，就可以休妻'呢？"他说："摩西因为你们的心硬，才准许你们休妻，但起初并不是这样。我告诉你们，凡休妻另娶的，如果不是因为妻子不贞，就是犯奸

淫了。”(太 19:4—9)

耶稣说人不可随便离婚。他引用《创世记》2:24 说,婚姻是神圣的盟约。婚姻不是随随便便的关系,可以轻易解约。婚姻创建了一种牢固的、合二为一的新关系,要不是出现非常严重的问题,不能轻易打破。但耶稣又说,足以导致离婚的严重问题确实存在,因为“你们心硬”。可见,有时候人心因为犯罪而过于刚硬,严重违反婚姻圣约,并且丝毫看不到悔改和医治的迹象,在这种情况下,另一方就可以提出离婚。耶稣这里明确提到的罪是对方犯奸淫。在《哥林多前书》7 章,保罗又加了一条离婚的依据:故意遗弃配偶。这些行为都彻底破坏了婚姻的盟约,所以保罗在《哥林多前书》7:15 说,受委屈的一方“不必勉强”。

说到圣经和离婚,并非三言两语可以讲完[5],但这段经文足以让我们看到耶稣在这个问题上的智慧。允许人随意离婚,就是使圣约和誓言沦为空洞的承诺。离婚不应当轻率;离婚不应当成为我们第一、第二、第三或第四选择。然而,耶稣知道人心的罪恶是何等深重,并且他让那些在婚内饱受折磨的人不至于因为嫁给(娶了)心硬如石、破坏婚姻誓言的人而绝望。离婚是极其艰难的,也本应如此。但受委屈的一方不用觉得羞耻。很多人不知道,连神也说自己离过婚(耶 3:8)。[6] 他知道离婚的感受。

承诺的力量

离婚是剥皮抽筋的事，哪怕今天也是如此，这就是为什么婚誓现在仍然可以坚固我们。誓言让你不容易反悔。爱的感觉在早期多变又脆弱，而誓言给爱一个机会，创造一种稳定状态，让爱的感觉可以随着时间的流逝逐渐增强加深。它们让激情的宽度和深度都得以扩展，因为它们给我们必要的安全感，可以敞开心扉，脱下防弹衣讲实话，不用害怕我们的配偶起身就走。

奥登(W. H. Auden)在他后期一本书里表达了这个思想，书名是《安定的世界：老生常谈》(*A Certain World: A Commonplace Book*)，他说："婚姻不是喜怒无常的情绪的无意识产物，而是耗时费力的精心创造；无论美满与否，婚姻都比风流韵事有趣得多，不论后者多么刺激。"[7]

奥登所说的风流韵事和婚姻，最大的差别是什么呢？是签下"那张纸"，是比肩走过劈开的动物，是踩玻璃，是跳扫帚*，是你的文化所提供的让你必须有所交代并庄重公开

---

* 劈开的动物：见《创世记》15 章，上帝与亚伯兰立约。"比肩走过劈开的动物"表示他们所立的约是盟约或血约。踩玻璃：源于犹太婚礼习俗。在婚礼结束时，新郎打碎一只玻璃杯，并用右脚将玻璃踩碎。一般认为踩碎玻璃象征耶路撒冷圣殿被毁，提醒新婚夫妇，在最幸福的时候也不要忘记，生活中还有不幸，因此，(转下页)

宣誓的任何方式。爱和律法相辅相成。因为按照圣经，婚姻的精义就是圣约。

为什么必须许下一个有约束力的、一辈子的承诺，才能营造深刻而持久的爱情？基督徒伦理学家史密德（Lewis Smedes）写过一篇文章，我读这篇文章的时候还是一个年轻的牧师，刚结婚不久。这篇文章对我的工作和生活帮助都很大。文章题目是《驾驭未知：承诺的力量》（Controlling the Unpredictable —The Power of Promising）。[8]

首先，他认为，我们身份的根基正在于承诺的力量：有些人问自己是谁，指望感觉告诉他们，但感觉是捉摸不定的火焰，一旦刺激消失，感觉就会消退。有些人问自己是谁，指望成就告诉他们，但我们所成就的事，总是不能揭示我们的内在品格。有些人问自己是谁，指望理想本身的远见告诉他们，但我们的远见只能告诉我们想要成为谁，而非我们是谁。

我们是谁？史密德说，我们作出明智的承诺并持守这些承诺，由此成为我们所是。史密德给我们举了一个形象

（接上页）将来遇到艰难时，要彼此委身。跳扫帚：一种婚礼习俗，最早源于凯尔特文化，后来在非裔美国人中颇为流行。也有说是源于非洲。婚礼上新郎新娘共同跳过扫帚，表示扫掉过去，开始进入新的人生。——译注

的例子加以证明，他引用著名剧作家博尔特(Robert Bolt)的作品《君子如风》(*A Man for All Seasons*)，讲的是莫尔的故事，他的女儿玛格丽特求他违背誓言，好救自己的命。

莫尔：你想让我向《继承法》宣誓效忠？

玛格丽特："神看重人的内心，胜过嘴上的言语。"这是你教导我的。

莫尔：没错。

玛格丽特：那嘴上宣誓，心里反对就行了。

莫尔：誓言不就是我们对神所说的话吗？

玛格丽特：那是权宜之计。

莫尔：你的意思是，誓言是假话？

玛格丽特：是真话。

莫尔：那就不叫权宜之计。人宣誓，就是把自己捧在手里，好像捧水一样。手指一张开，就别想重新找回自己。

既然承诺是找到自我身份的关键，那它就是婚姻之爱的核心。为什么？因为正是承诺给我们一个稳定的身份，如果没有稳定的身份，就不可能有稳定的关系。阿伦特(Hannah Arendt)写道："若我们不受承诺的束缚，若我们不努力实现承诺，就不能守住自己的身份，只能堕入内心的漆黑孤寂，毫无希望，失去方向，受困于内心的种种矛盾和模棱两可。"[9] 史密德以自己为例：

我刚结婚的时候，丝毫也不晓得婚姻会走向何方。我怎么知道她二十五年以后会发生多大变化？我怎么知道我自己会发生多大变化？自从我们结婚之后，我妻子至少与五个不同的男人同居过——每一个都是我。

现在的我与从前的我联系在一起，就是靠一段记忆：我记得自己在婚礼上所签署的那个名字："我就是将来陪在你身边的那个男人。"一旦我们否认这个名字，失去这个身份，就很难找回自己了。

承诺的自由

普朗普(Wendy Plump)记录了自己发生婚外情之后婚姻解体的过程，她的痛苦经历证明了奥登、史密德和阿伦特所主张的要点——"承诺有益于关系"这个道理。[10]她说，在婚外情的过程中，"性爱很刺激。当你发生婚外情的时候，你知道你会享受激情的性爱——那种急迫感、新鲜感和婚外情的不正当性保证了这点。"这个例子充分说明了前面所讲人们对待性爱的态度。禁忌的刺激感和被别人渴望的自我冲动被误解为爱情，因为这种感受和冲动让性事如电光火石一般惊艳。

但是，普朗普的婚外情暴露了，而她丈夫也出轨了。最终婚姻解体了。普朗普讲故事的时候，想到她的父母。"他们有五十年的婚姻，这是成功的丰碑。几个星期或几个月的不正当激情与这种辉煌相比，连烛光都算不上。"最后她问:“如果你七十五岁,下述情形你愿意要哪个:即便偶尔关系紧张,但多年情感稳定;或有点像这样的景况:被炮火摧毁的伊拉克费卢杰市?”显然,她父母耗时费力精心营造的婚姻,比起她那段转瞬即逝的浪漫史要好得多,不论后者当时多么热烈。

针对她的文章,《时代》杂志网站发表了一些相当尖刻的评论。这些评论的作者相信,普朗普受制于传统婚姻观,就是那种压迫人性的、认为“婚姻之约具有排他性”的观念。“如果你让自己相信……婚姻是两个人一生的联合,”一个评论者写道,“那么婚外情就只有炸弹的毁灭作用。照我看来,我们需要开始重新梳理我们的观念,摆脱基督教所强加的对一夫一妻制的痴迷。”还有一些评论者认为,在传统婚姻中努力取悦对方,会扼杀人的自由和欲望。

但史密德有力地证明,承诺是通往自由的途径。在承诺中,你会减少当前的选择,将来会有更多更好的选择。你限制现在的自由,将来可以得到更大的自由,去帮助那些信任你的人。当你向别人作出承诺的时候,你们双方都知道你不会让他们失望,你会支持他们。“在不可预知的荒蛮之地,你创造了一个神圣的场所,营造了一个信心的空间,”史密德说,于是——

当我作出承诺的时候,我见证我与你的未来并非锁定在一个生化波束中——在那里,像分发扑克牌一样,一股力量把我从父母基因组里抽出来，X和Y的宿命组合将我困死；当我作出承诺的时候，我见证自己不是沿着某种既定的路径成长起来的，我不受制于有点古怪的父母所强加给我的心理影响；当我作出承诺的时候，我宣告，我和那些依靠我的人，我们的未来不是由我幼年的复杂文化所预先决定的。

无人可以决定我的命运。我不是一个面团，被偶然的外力和过往的痛苦环境搅拌定型。我知道我不能重新创造自己的生命，也晓得我的“所是”和“所为”多仰赖祖先的恩赐或咒诅。但是，当我向人作出承诺的时候，我超越这一切限制条件。没有一条德国牧羊犬曾向我承诺，它会一直陪伴我。没有一台计算机曾向我承诺，它会忠实地帮助我……只有一个活生生的人才能作出承诺。而当他作出承诺的时候，他最为自由。

承诺与激情

长期的爱——来自承诺的“耗时费力的精心创造”——为何如此优越？温迪发现，她的父母在经历了五十年婚姻之后，拥有了某种特殊的东西，这种东西不同于她那种不正当关系中的强烈性欲，它更丰富，更深刻。这种东西是什么呢？

当你刚刚堕入爱河，你以为自己爱这个人，其实并非如此。你不可能立刻了解这个人到底是谁。这需要许多年。

你实际上爱的是你对这个人的想法——而你的想法一开始总是单维度的，而且总有些偏差。在《魔戒》中，艾欧文爱上阿拉贡，但阿拉贡不能回报她的爱。阿拉贡对艾欧文的哥哥艾欧墨说："她爱你胜过爱我，因为你是她了解的人；但她对我的爱，只是对一个影子的迷恋：对英雄史诗的渴望，对异国他乡的向往……"[11]阿拉贡知道，浪漫的冲动之所以如此令人陶醉，多是因为我们其实爱的是一个传说，而非一个真实的人。

不仅你不认识对方，对方也不真正认识你。你表现自己最好的一面（仪表堂堂，风度翩翩）。你有一些自觉丢脸或害怕见人的东西，你不想让对方看见你的缺点。而且，你当然不能让对方看见连你自己都看不见的性格缺陷，这些缺陷只能在婚姻过程中逐渐暴露。恋爱中有情绪"高原期"，在此期间，对方认为我们非常奇妙美好；所以恋爱早期我们特别有激情，特别来电。但问题在于——你可能对此也有些许意识——对方还不真正了解你，所以也不是真正爱你，至少还不够爱你。你所以为的"爱得死心塌地"，很大程度上只是一阵自我迎合的情绪爆发，根本不是那种"因了解而相爱"的深刻满足感。

风平浪静以后，等到对方见识过你最坏的一面，并且了解你一切优点和缺点之后，却仍然完全向你委身，那才是无与伦比的体验。被爱却不被了解，使人感觉舒服却流于肤浅。被了解却不被爱，那是我们最害怕的事。但是，被充分了解并且被真爱，这才是神的爱，这才是我们最需要的东西。这种爱释放我们，让我们脱掉伪装；这种爱让我们谦卑，远离自义；这种爱坚固我们，可以承受生活中一切艰难困苦。

我所谈的这种爱不乏激情，但不是青涩岁月的那种激情。凯西第一次牵我手的时候，我浑身好像触电一样。三十五年以后，握妻子的手已经没有当初那种兴奋感。但是，回顾最初的感受，我明白它并非出于我对她的爱，而是出于虚荣，因为她选了我。最初，这种感受里面虽然有爱，但还混杂了许多别的东西。经历了人生风雨之后，今天握手与当时的感受根本不能相提并论。我们如今完全彼此了解，一起背过数不清的担子，反反复复彼此悔改、宽恕、和解。我们当然有激情，但如今的激情不同于年轻时的激情，正如一条喧闹的小溪不同于一条静水深流的大河。激情让你在婚礼上许下诺言，但是，多年之后，承诺使激情更加丰富，更加深刻。

让浪漫水到渠成

现在我们可以回答"浪漫的爱与无条件委身的婚姻如何调和"这个问题了。浪漫的爱必须完全自由，毫无强制——难道不是吗？对一个人的强烈欲望是不可能持久的，所以我们迟早要另觅新欢——难道不是吗？所以，严格的一夫一妻、一生一世的婚姻是浪漫爱情的大敌——难道不是吗?

不是。实际上,无条件的、圣约的委身关系可以促进浪漫的爱情,让浪漫水到渠成。就此问题,没有人比丹麦哲学家克尔凯郭尔讲得更透彻。[12]

克尔凯郭尔谈到三种人生观——审美的人生观、伦理的人生观和宗教的人生观。克尔凯郭尔说,每个人生来都是美学家,并且我们只能通过自己的选择才能进入伦理和宗教的境界。那么,什么是美学家呢?美学家不关注某个东西的好坏,只关注它是否有趣。[13]判断事物的依据在于它是否迷人、好玩、有趣。

美满幸福的人生离不开审美,但是,一旦美学价值主宰了人生,就会产生严重问题。美学家通常主张自己是自由的个体。人生应当追求刺激,充满"诗意和火花",美学家如此说。而这意味着常常摆脱社会期望和群体纽带。但克尔凯郭尔说,这是非常错误的自由观。浸淫于审美生活的人根本不是自己的主人;实际上,他正走向漂泊无定的生活。气质、品味、感觉、冲动,他完全被这些东西所驱使。

换个角度看,被审美感觉主宰的人,是被环境所控制的人。如果你的妻子失去了光滑的皮肤和美丽的容貌,如果你的丈夫发福,美学家就开始转移目光,寻找更好看的人。如果配偶得了重病,生活无法自理,美学家就会觉得生活毫无意义。克尔凯郭尔说，这样的人完全受制于外部环境。

要得到真正的自由，只有一个办法，就是把感觉与责任联系起来。你必须舍己，持续实施爱的行为，一天一天地坚持，哪怕感觉起伏不定，哪怕环境不受控制——只有这样，你才能成为真正自由的人，而非任人摆布的工具。同样，你必须在没有激情的时候继续去爱，才算是真正爱一个人。美学家谈不上真正爱一个人；这种人只是爱对方给自己的感觉、激情、冲动、体验。证据就是，一旦这些东西消失，就不再关心对方了。

克尔凯郭尔让我们看到浪漫激情的局限，但他并不否认浪漫激情具有价值。他也不将感觉和责任对立起来，尽管有时候这二者看似对立。克尔凯郭尔认为，“家庭实际上可以增强浪漫的爱，而非减弱”，“正是婚姻的道德承诺，让冲动的爱升华至稳定而长久的地步，这是激情梦寐以求却求之不得的境界。”[14] 其实，正是圣约委身让已婚者可以变成彼此相爱的人。日久见人心，我们必须长期观察，才能真正认识这个人，并且逐渐爱上这个人，而非仅仅爱上对方给我们的感觉和体验。路遥知马力，我们必须坚持付出，才能明白配偶的具体需要，才知道如何满足这些需要。这一切最终都将汇入记忆的源泉，使我们的情感变得更加深刻，让对方感到由衷的喜悦，叫婚姻生活中的浪漫激情演奏成更加美妙的乐章。

情绪与行为

这个原则如何在每天的婚姻生活中活出来呢？几乎每个人都以为，圣经上“爱人如己”的指示是智慧的、正确的、良善的。但请注意，这是一条命令，而情绪是无法被命令的。圣经并没有叫我们喜欢邻舍，要对别人心怀柔情蜜意。不，圣经的呼召是爱，并且圣经所讲的爱首先就是行为。

爱的感觉当然是爱的一部分，并且这种感觉可以让我们更自然地实施爱的行为。我们服侍所喜爱的人，这时候，情感和行为是一致的，我们感到特别满足。然而，如果我们不能区分感觉和行为，就很难迈出爱的脚步。

我们必须区分感觉与行为，一个原因就是感觉不可靠。我们的感觉取决于许多复杂的生理、心理和社会因素。感觉起伏不定，这常常让人十分恼火。我们不能控制情绪，但能控制行为。我们的许多好恶，既非邪恶，亦谈不上美德，只是萝卜青菜各有所爱。关键是我们如何对待这些好恶。如果我们听从文化，把爱界定为喜欢，如果我们只在爱的感觉很强烈的时候才认为爱的行为是真诚的，那我们必定是糟糕的朋友，更是可怕的家人或配偶。

千万别以为自己必须感到爱才能给予爱，那是错的。例如，我有一个孩子，并且我在他惹我生气的时候还牺牲一天的时间带他去看球赛，让他高兴，那我对他的爱就不仅仅是跟着感觉走。如果你觉得很喜欢某个人,那么满足他的需要并且得到他的感谢和喜爱,就可以给自己带来极大的满足感。在这种时候,你的行为可能更多是出于自我中心,是为了让自己得到爱和满足,而不是为了让别人得到益处。正如克尔凯郭尔所言,你不见得真是爱他,你可能只是爱自己。如果我们只在自己有强烈的爱的感觉时才有爱的行为,那么我们就会爱得很盲目。因为爱,父母会宠坏孩子。因为爱,夫妇会彼此伤害。这些事背后的一个原因是我们特别害怕我们所爱的人不高兴。我们担心对方生气,说难听的话,我们会受不了。这只证明我们并不真爱这个人,并不真关心对方的益处。我们真爱的,是我们从对方那里得到的感情和尊重。这一切都意味着:当你没有爱的感觉时,仍然可以去爱,并且爱得真实而明智。

所以,如果你对"爱"的定义,强调自己的感觉多于无私的行动,就难以维持和巩固爱的关系。反过来,如果你强调爱的行动多于感觉,就会促进和巩固爱的感觉。这是幸福人生的诀窍,也是美满婚姻的秘诀。

爱的行为引发爱的感觉

C. S. 路易斯在二战期间的 BBC 广播讲话中,解释了什么是基本的基督教美德,包括宽恕、仁爱的原则。当时,在英国人眼里,世界一分为二,有的国家是盟友,有的是敌人。

就在这种情况下，路易斯说，很多英国人发现基督教“饶恕敌人、爱一切人”的教义，不仅不切实际，而且令人反感。很多人对路易斯说：“这种话让我觉得厌恶。”但路易斯没有望而却步，他说，虽然我们心里冷漠，甚至蔑视某些人，但我们可以通过行动来逐渐改变自己的心。

尽管自然的好感应当受到鼓励，但我们不应该以为坐等热烈的情感迸发就可以变得仁慈……适合我们众人的规则非常简单。不要浪费时间去思想自己是否爱邻居；要采取爱的行动。我们一采取实际行动，就会发现一个极大的奥秘。一旦你的行为如同真爱某人一般，那你就会变得真爱他。如果你伤害了某个自己所厌恶的人，你会发现自己变得更厌恶他。如果你善待他，就会发现自己对他的反感变得少一些……每当我们善待另一个自己，仅仅因为他就是自己，（和我们一样）是神所造的，并且和我们一样渴望幸福，我们就开始学会如何爱他多一点，至少反感少一点……世人善待某些人是因为他“喜欢”他们，但基督徒却不是这样。基督徒善待每个人，并且由此发现自己所喜欢的人变得越来越多——包括那些自己当初难以想象会喜欢的人。[15]

然后，路易斯举了一个很有分量的例子，在当时更是一语中的：

这个属灵原则反过来也成立，并且极其可怕。德国人当初可能因讨厌犹太人而恶待他们，后来却因恶待犹太人而更加讨厌他们。你越残酷，仇恨越多；仇恨越多，你越残酷——这个恶性循环永无休止。[16]

我刚当牧师就意外地发现了这个实际的道理。牧师的本职工作就是和自己可能不喜欢的许多人交往——假如不当牧师，他压根儿不会选这些人交朋友。医生和心理咨询师也得怀着怜悯之心与各种人深入交谈，但那仅限于办公室和上班时间。而牧师则要和自己牧养的信徒一起生活。牧师要主动探访，和他们在餐厅、公园和家里同吃同乐，随时随地和他们谈各种生活问题。

作为一名年轻的牧师，我立刻发现神叫我过的生活真不容易。就和其他人一样，我一直任由自己的喜好和情感决定自己和谁待在一起。然而，当我搬到弗吉尼亚霍普韦尔担任牧职的时候，会众里有许多我根本不想交往的人。不是说我反感他们；不，我只是觉得我们不是同类人。和他们在一起没有那种“心灵擦出火花”的感觉，就是让你想和某人交往的好感。

但我是牧师。如果有人需要在下午三点和我谈话，我得在场。如果有人生病住院，我得在场。如果有谁的儿子离家出走，我得开车去找。我在他们家里和他们谈心，参加他们孩子的毕业典礼，和他们一起野餐。我向他们分享感受，他们也向我敞开心扉。这就是牧师的本职工作，尤其是在一个小城市的小教会里作牧师，更需要深入交往。神呼召我采取爱的行动，善待许多普通人，尽管这些人对我并没有情感上的吸引力。

然而这些行动改变了我。凯西和我来到这个教会几年之后，发生了一件事。有一天，正值周间休息，我们讨论这一天该怎么过。我想到教会里一对夫妇，就提议去探访他们，或请他们过来做客。凯西吃惊地看着我说："为什么呢?"这对夫妇几乎没有朋友。他们有很多个人问题，所以旁人都不喜欢他们，他们两人之间也吵闹不断。凯西当然明白我们需要照顾他们，但那天是休息日，而和他们待在一起肯定是"牧养工作"。

她的惊讶也让我吃了一惊，但我马上就笑了，明白这是怎么回事。几个月以来，我花了很多时间、精力和情感来帮助这对夫妇改善生活。简而言之，我采取了许多爱的行动——聆听、服侍、同情、批评、饶恕、肯定、分享。而在付出这一切之后，我发现自己开始喜欢他们了。

怎么会这样呢?是不是因为我很圣洁，很属灵?根本不是。这是因为我趔趄着去实践路易斯所说的那个实用原则。尽管我不喜欢他们，但我用实际行动爱他们，而这样做的结果就是，我的情感逐渐与我的行为达到了一致；这个过程虽然缓慢，却不可逆转。那些不可爱的人，你若不放弃他们，而是持续地去爱他们，最终他们会变得可爱起来。

我们的文化总是说，爱的感觉是爱的行为的基础。当然，这不无道理。但更准确的说法是，爱的行为可以引发爱的感觉。说到底，两人之间的爱绝非跟着感觉走，也不仅仅是履行责任。夫妇之间的爱是非常复杂的，它是感觉和行为的共生混合体。说了这么多，我们还得注意一点：感觉和行为，我们只能控制后者。爱的行为才是我们每天所能持守的承诺。

爱的决定

这个原则对婚姻本身有多重要？至关重要。在《以弗所书》5:28，保罗说："丈夫应当爱妻子。"他在25节已经讲了丈夫要爱妻子，但在28节，为了讲得更清楚，保罗用了一个特殊的动词，这个动词强调责任。保罗的话非常明白。他向丈夫发出明确的命令——丈夫应当爱妻子。情绪是不能命令的，只有行为才能命令，可见保罗所发的命令关乎行为。他不在乎丈夫某时某刻感觉如何——他们必须采取行动去爱妻子。

这是不是说，你可以随便找个人结婚？你不需要爱自己所娶（嫁）的人？感情在婚姻里无足轻重？当然不是。我不是叫你故意找自己不喜欢的人结婚。[17]但我可以保证一点，不管你和谁结婚，你迟早会失去恋爱的感觉。强烈的爱意和快乐不会持久，也不可能持久。甚至还没等结婚，你就已经从头到脚都麻木了。这种事很常见,因为我们的情绪与很多东西紧密相关:生理、心理和环境。你的感觉起伏不定,如果你听信文化对"爱"的定义,一旦遇到心情不好的时候,你可能就会说,这不是我应该娶(嫁)的人。我们的文化推崇浪漫的激情,所以我们说:"假如这是我应该娶(嫁)的人,我的感觉就不应该如此起伏不定。"在《返璞归真》"基督徒的婚姻"一章中,路易斯写道:

> 小说给人一种不切实际的想法:只要你找对了人,就可以永远沐浴爱河。结果,他们发现自己并没有沐浴爱河,就认为自己找错了人,应该换一个——却没有意识到这一点:换了之后,新恋情的光芒仍会褪去,就和从前一样……[18]

任何人际关系总有疲倦的时候——爱的感觉似乎枯竭了。而且,正是在这种时候,你更要记得婚姻的本质是盟约,是献身,是将来爱的承诺。所以,怎么办?你要采取爱的行为,即使没有爱的感觉。你可能感觉不到温柔和同情,不想讨好对方,但你的行为必须温柔,你必须体贴、饶恕、帮助对方。并且,如果你这样做,随着时间推移,你不仅可以走过感情低谷,而且这些低谷会变少变浅,爱的感觉会日益稳固。要是你下决心去爱,就会产生这样的效果。

> 基督说,人若不先死,就不能真正活着。我想,基督这

句话包含了上面这层意思。"想留住新鲜的感觉"绝非好事:实际上这是最坏的事。让新鲜感离开吧——让这种感觉死去,度过这段死亡期,随后进入无声的关爱和幸福——你会发现自己活在一个日日常新的世界……[19]

人怎么会发生这种转变呢?我想或许会是这样:刚受到某人吸引的时候,我们想:"真想永远这样!我不想失去这种激情。"但是,前面讲过,这种自私的冲动是不能持久的,也不能让你在"学着去爱你真实的配偶"这条路上走很远。借用路易斯的比喻,你必须首先"治死"这种不成熟的"爱的肉身",然后它才能复活,得到真正的生命。你必须持守你的承诺,坚持爱的行为和爱的服侍,哪怕——不,尤其——在你感觉配偶魅力衰减、在你看到配偶索然无味的时候。并且,一旦你这样做,就会发现"以自我为中心的魅力"发生了转变,成了"真爱,谦卑而欣喜地接纳对方、欣赏对方"。这个过程是逐渐的,却是必然的。你的爱会渐渐成熟,变得更智慧、更丰富、更深刻、更坚定。

可惜,很多人从来没有这样做,因为他们接受了文化对"婚姻"的定义,并且,当激情消退之后,他们就不安分了。这种婚姻观让已婚者非常容易发生婚外恋,因为你自然会遇到其他更有魅力的人,让你感觉重拾激情。

小说和戏剧还给我们另一个观念:坠入爱河是不可抗

拒的，就像得了荨麻疹一样。而且，有些已婚者对此深信不疑，所以他们一旦感觉自己心里另有新欢，就会举手投降，屈服于情欲……但这岂不是我们自己的选择吗？岂不是我们自己让这种“喜欢”成为所谓的“坠入爱河”？当然，如果我们的脑子里全是小说、戏剧和靡靡之音，如果我们的身体里只有酒精，我们必定会把任何一种喜欢变成那种无法自拔的爱：就好像路上有车辙，雨水就会灌进去；如果你戴着蓝色的眼镜，当然看什么东西都是蓝蓝的。这是咎由自取。[20]

所以，如果有人说“我不需要一张纸来表达爱”，你可以告诉对方：“你需要。如果你按照正确的方法去爱，就是圣经所描述的，两个人一起分享生命，那你就没有理由不给对方一个承诺，一个合法的、永久的、排他的承诺。”

讨价还价

古时候，新娘是有价的。男方要去女方家，向女方的父亲提亲，献上礼金或礼物，礼的轻重取决于女方的相貌和男方的家产。我们看到这种事就大惊小怪，“哇，这些人的做法太糟糕了。”但是，今天我们的做法有过之而无不及，而且因为我们更民主——男人和女人现在相互买卖！——我们看见男人和女人相互打量说，“她行情不错”，“他值几个钱!”这些脱口而出的评价很说明问题。我们根据潜在伴侣的资产或赤字来给他们打分。并且,我们最终感觉自己想和这个人结婚,是因为对方可以给我们带来合理收益。今天,几乎不可能不用经济学思维,人人都在算计“我为婚姻付出多少,对方又付出多少”。并且,如果我们从夫妻关系中得到的等于(最好是多于,我们暗想)付出的,我们就是幸福的。

但是,随着时间过去,我们会逐渐发现配偶的缺点。如果这些缺点不改正,并且,如果我们发现,自己没有从婚姻中得到最初投入所希望的好处,那么我们就会像商人一样采取行动,果断止损。如果收入减少,就要削减支出。于是,如果她没当好妻子,那我就不会像从前一样努力去作好丈夫。这似乎完全公平。“她没像以前这样做。所以,我干嘛要那样做?如果我得不到同样的益处,我就不需要在这上面投入那么多。”你在半清醒状态下对自己说,这样做恰好是公平的。但这其实是一种报复形式。

你就是这样来为自己的退缩辩护的,但是,当然,你的配偶可不会这样想。如果我妻子发现我在情感上疏远她,不再积极满足她的需要或家庭的需要,她就会问心无愧地改变她对我的热情和委身。你们越觉得没有得到爱,就越少有爱的行动,也就越不想去爱,于是,双方都走入恶性循环,关系越来越冷淡。

试想一下,父母与儿女的关系是多么不一样。如果你有孩子,你会发现自己不得不接受圣经上这种爱的模式。新生儿是你见过最无助的人,每秒钟都需要你无微不至的照顾,一天二十四小时,每周七天。你做出巨大的牺牲,但孩子很长时间都不能给你任何回报。并且,虽然孩子将来可以给你爱和尊重,但永远不会回报你所付出的那些东西。孩子成年以后常常和父母闹别扭,把自己搞得一塌糊涂,这时候你又要付出许多,并且依然不能得到什么回报。但每次不管他们是否回报你,你总是给予他们。

不求回报地付出十八年以后,哪怕你的孩子在周围所有人看来都很普通,你还是忍不住要爱他。为什么?因为你不由自主地按照圣经的模式来爱他。你必须放下自己的感受,采取爱的行动,正因如此,你现在对他有很深的感情,不管他是否可爱。

所以我们就会明白,为什么孩子离家之后,很多家庭会破碎。因为虽然父母以"盟约关系"(用爱的行动来加强爱的情感)来对待孩子,却用"消费关系"来对待婚姻,并且一旦失去爱的感觉,就会收回爱的行动。结果,忍耐了二十年以后,虽然他们对孩子的爱仍然牢固,但婚姻已经成了一具木乃伊。

他没离开我们

很多人听了这些话就会说:"不好意思,要是我没感受到爱，就没办法付出爱。我装不出来。我觉得这种方式太不自然了。”我理解这种反应，但保罗并没有让我们装模作样；他命令我们表里如一。“你们作丈夫的，要爱妻子，好像基督爱教会，为教会舍己。”（弗 5:25）

这意味着我们必须对自己说这样的话：“嗯，耶稣从十字架上往下看的时候，他并没有想，‘我要为你们舍命，因为你们很可爱。’不，他俯视众人，备感痛苦——我们全都不认他，弃绝他，背叛他——并且做出历史上最伟大的爱的举动，他没离开我们。他说：‘父啊，赦免他们！因为他们不知道自己所作的是什么。’（路 23:34）他爱我们，不是因为我们在他眼里本是可爱的，而是要让我们成为可爱的。我也要照样来爱我的配偶。”你要对着自己的心讲这样的话，然后履行你婚礼上的诺言。

第4章

婚姻的使命

你们作丈夫的，要爱妻子，好像基督爱教会，为教会舍己，为的是要用水借着道把教会洗净，成为圣洁，可以作荣耀的教会归给自己，什么污点皱纹等也没有，而是圣洁没有瑕疵的。

《以弗所书》5:25—27

我们花了很多时间来讨论婚姻是什么，但现在我们要问，“婚姻是为了什么?”婚姻的目的是什么? 就这个问题，圣经的回答始于一个属灵的原则:婚姻首先是友谊。

孤独的乐园

在《创世记》1—2 章，神创造了世界，他看见自己所造的一切，反复说“是好的”。这个评价仅在《创世记》1章就讲了七次之多，圣经反复强调，神所造的这个物质世界是多么伟大，多么荣耀。[1]然而，神造了第一个人，却说：“那人独居不好。”（创2：18）怎么会是这样？值得注意的不仅是这种强烈的对比，这里还引出一个问题：亚当身处一个完美的世界，并且有很多证据表明他与神相交亲密，还有什么“不好”呢？

答案或许就在《创世记》1：26神的话里，“照着我们的形象……”读者马上就要问，“我们是谁？神在和谁说话？”一种回答是，神在向周围的天使说话。但圣经从来没说天使参与神造人的活动，所以这种解释讲不通。千百年来，基督徒神学家一致认为，这句话暗示了一个真理，而这个真理要等耶稣基督进入世界之后才完全显明——神是三位一体的，神在永恒里有三位：父、子和圣灵，他们彼此相知，彼此相爱。因此，按照神的形象所造，就意味着我们被造的目的是为了彼此相爱。[2]

于是，我们看见这位亚当，神所造的完人，被安置在完美的伊甸园里，但他的孤独却是“不好”的。《创世记》的笔触暗示：我们强烈的关系需求是神所造的，也是神赐给我们的；而这种需求并不能通过与神“垂直”相交得到完全的满足。神把我们造成这样，使我们需要“水平”的关系，我们生来就需要与其他人相交。这就是为什么，哪怕在天堂里，孤独也是一个麻烦事。所以，我们自然会发现，这个世界的一切，包括金钱、享受、娱乐——我们努力为自己创造的天堂——都不能像爱那样让我们感到满足。这再次印证了我们的直觉：美满的家庭和良好的人际关系是极大的祝福，爱为我们提供最大的满足，是金钱无法买来的，任何东西都不能代替。

为了消除人的孤独，神为他造了一个配偶，希伯来文是'*ezer*，这个词的意思是“助手，伴侣”，一位朋友。[3] 亚当一看见夏娃，就情不自禁地赋诗一首。“就是她！”他说，“这是我骨中的骨，肉中的肉！”有些人认为亚当在说，“你填满了我内心的空虚。”所以，我们看到，在最初的时候，神就赐给亚当一个伴侣，作他的配偶。而《雅歌》中的女子也用情歌回应了亚当的情诗：“这就是我的良人，我的朋友。”(歌 5：16)

友谊的特征

什么是友谊？在圣经中，尤其是在《箴言》中，有大量篇幅描述并定义友谊。作朋友，最宝贵的就是忠心。朋友“常显爱心”，尤其为“患难”而生(箴 17：17)。假朋友只能同富贵，不能共患难：你成功，他们就趋之若鹜；一旦你的财富、地位或社会影响力下降，他们就避之惟恐不及(箴 14：20；19：4，6，7)。真朋友“比兄弟更亲密”(箴 18：24)。你需要他们的时候，他们永远支持你。友谊的另一个核心特征是透明和坦诚。真朋友彼此鼓励，彼此真心赞赏(箴 27：9；参撒上 23:16—18),但真朋友也提出中肯的批评:“爱你的人加的创伤是出于忠诚。”(箴 27:6)有道是,“良药苦口利于病,忠言逆耳利于行”,真正的朋友相交也是如此。圣经中说:“铁磨铁,磨得锋利,朋友互相切磋,才智也变得敏锐。”(箴 27:17)如切如磋,如琢如磨,才能一起变得更有智慧。

真友谊有两个特征——忠诚和坦率。真朋友绝不对你耍心眼,从不让你失望。一位作家这样描述具备这两个特征的友谊:

觉得某个人安全,有种说不出的安慰感——不用权衡想法,也不用斟酌字词,一股脑儿把糠秕和谷子全倒出来;心里踏实地知道,有只忠诚的手会伸出来接住,好好筛选;凡是值得留下的,就留下;然后,怀着善意,一口气把剩下的吹掉。[4]

然而,友谊还有第三个特征,而这个特征很难用一个词来描述。最正确的词,就是“情投意契”——同样的热情。这意味着,友谊不是经营的,而是发现的。人们一旦发现他们有共同的兴趣,共同的渴望,就会产生友谊。

爱默生[5] 和路易斯都有关于真友谊的扛鼎之作,谈到相同的看法会把那些气质非常不同的人联合起来。路易斯说,友谊的本质就是感慨于“你也是如此?”爱情是两个人面对面注视彼此,而友谊则是两个人肩并肩注视同一个目标,并为之热情洋溢，为之欢欣鼓舞。路易斯说，朋友之间有一条“神秘之线”，这条线把那些感动我们的电影、书籍、艺术、音乐、消遣、思想和景观串联起来。一旦我们遇到一个人，和我们有同样的一条情感之线，就能培养出真友谊，只要我们用坦率和忠诚加以呵护。最有趣的是，如果人只重友谊，反而得不到友谊。友谊必须是关于别的什么东西，大家一起为之献身、一起为之陶醉的东西。

一旦两个人或更多人……发现他们有共同的看法或兴趣，就会产生友谊……正如爱默生所言，“你喜欢我吗？”意思是，“你是否和我看到同样的道理？”或至少是，“你是否关心这个真理？”和我们心意相通的人，就是和我们一样重视某些被人忽视的问题的人，就是我们的真朋友……正因为如此，那些只想“交朋友”的人永远交不到真朋友。交朋友的关键就在于，我们除了交朋友以外，还得有别的想法。“你是否和我看到同样的真理？”这个问题的诚实回答如果是：“我不在乎什么真理，我只在乎你。”那就不会出现友谊。友谊必然是关于某个东西的——哪怕只是玩扑克或小白鼠。一无所有，就无法分享；没有目标，就没有同伴。[6]

基督徒的友谊

来到新约，我们对友谊的认识又深入一层。友谊出于共同的异象和热爱。想想这对基督徒意味着什么。凡是在基督里的信徒，尽管他们阶级不同、性情不同、文化不同、种族不同、有不同的感受力和个人经历，尽管他们存在极大差异，但他们有一个共同点，这个共同点大过一切差异。与其说这是一条“情感线索”，不如说是一根坚不可摧的钢索。基督徒都经历了神的恩典，就是在耶稣福音里的恩典。我们的身份都发生了根本的改变，所以，现在对我们来说，神的呼召和爱比其他东西更重要，更根本。而且，我们也有相同的渴望：我们渴望同一个未来，奔赴同一个异象，就是成为圣经所说的“新造的人”。保罗说，神在信徒里面“开始了美好工作”，并且要在末了的时候成全这工（腓 1:6）。我们要成为真正的自我，就是受造所该有的样子，消除一切残缺和软弱。保罗提到“将要向我们显出的荣耀”，我们要脱离败坏的捆绑……得神众子的荣耀自由（罗 8:18，20）。我们“盼望”和“等候”最终的、完全的“得赎”（罗 8:23）。

这是什么意思？这意味着任何两个基督徒，不需要别的，只要同信基督，就能建立坚固的友谊，彼此帮助，同走天路，成为新造的人；他们也能一起在世界上共事。他们怎能做到这点呢？

第一，他们有属灵的坦率。基督徒朋友之间不仅彼此坦诚认罪（雅 5:16），而且，如果对方看不到自己的问题，他们还要凭爱心指出朋友的罪（罗 15:14）。你应当让他们在你食言的时候可以当面批评你(加 6:1)。基督徒朋友要相互激励,彼此劝勉,帮助对方脱离致命的缺点(来 10:24)。诤友谏言不应成为罕见的事情,而应当是司空见惯,每天应用于具体事务(来 3:13)。基督徒朋友承认自己的过错,祈求谅解或给予谅解(弗 4:32),一旦得罪对方,就采取措施努力和好(太 5:23 及以下经文;18:15 及以下经文)。

其次,他们有属灵的忠心。基督徒朋友要彼此担当(加 6:2)。他们应当随时相互服侍,共度人生的风风雨雨(帖前 5:11,14—15),一旦有需要,就分享财富和生命(来 13:16;腓 4:14;林后 9:13)。朋友必须用尊重的态度和赞许的话语来彼此鼓励(罗 12:3—6,10;箴 27:2)。他们要善于发现和激励彼此的恩赐、长处和能力。他们要借着学习和敬拜来坚固彼此的信心(西 3:16;弗 5:19)。

圣经所描绘的属灵友谊非常美好。基督徒友谊不仅意味着一起听音乐会,一起看体育比赛。基督徒友谊是志同道合,齐心协力,两个人一起朝着同一个目标前进,一路彼此扶持,渡过危险和难关,在这个过程里培养信任和爱。有数不清的电影表现"侠义之情",这些电影种类不同,艺术成就各异,从库柏(James F. Cooper)的《皮袜子故事集》(*Leatherstocking Tales*),到 1960 年代的《十二金刚》(*The Dirty Dozen*),再到经典的《魔戒》(*The Lord of the Rings*)。在每个故事里,都有一群差异极大的人聚集到一起。他们可能来自不同的种族和阶级,可能彼此恨恶,但他们肩负某个共同的目标或使命,组成一个团队,一支队伍。他们相互救助、督促、激励、劝勉,最后胜利达到目标。共同使命让他们成为朋友,彼此的差异变为长处。

那么,基督徒之间存在的属灵友谊或超自然友谊,与爱默生和路易斯所描绘的因情投意合而产生的友谊,这二者有什么关系呢? 回答是,二者有交集,有时甚至完全一致。一位基督徒遇到一位非基督徒,后者和前者一样,也喜欢同一位作家,那么他们就可能成为最好的朋友。他们一起读这个作家的书,碰头讨论书里的内容,不亦乐乎。再比如,两个朋友都是年轻的母亲,那么她们就有发展友谊的共同话题,而这种友谊可能变得浓烈而亲密,尽管她们并没有共同的基督徒信仰。前面讲过,两个基督徒可以拥有属灵的友谊,就是新约当中关于"彼此相待"的许多命令所描述的那种友谊,哪怕这两个人的性情和其他方面都极为不同,并且按照人之常情,这两个人根本合不来。然而,最丰富、最美好的关系,是那些融自然因素和超自然因素于一体的关系。当然,婚姻可以把浪漫之爱的力量注入友谊的自然纽带和超自然纽带,而正是这种力量让婚姻成为一切人类关系中最深厚的关系。

友谊是一种深刻的合一,要培养这种合一关系,得靠两个人凭爱心彼此讲诚实话,携手走向同一个异象。属灵友谊是最伟大的旅程,因为那异象是那样高远又确定——那就是"耶稣基督的日子",等我们最终和他面对面相见的时候，我们要像他一样。使徒约翰说：

亲爱的，现在我们是神的儿女，将来怎样，还没有显明。然而我们知道：主若显现，我们必要像他，因为我们必要看见他本来是怎样的。凡对他存着这盼望的，就洁净自己，像他一样的洁净。（约一 3:2—3）

配偶：最好的朋友

神把第一个男人的配偶带到他面前，神带给他的不仅是一个恋人，也是他在心里一直寻找的朋友。《箴言》2：17说，配偶是你的阿鲁普（*'allup*），这是一个特别的词，意思是指"特殊的密友"或"最好的朋友"。古时候，女人一般被当做丈夫的财产，而婚姻主要是一种商业买卖和交易，是为了提升家族的社会地位和增加保障。就在这样的社会中，圣经却说配偶是朋友，这真是让人大跌眼镜。但今天的社会又走到另一个极端，过于重视浪漫和性爱，圣经的说法在今天同样显得不合时宜，尽管今人的理由和古人不同。在部族社会里，浪漫爱情不如社会地位重要；而在个人主义的西方社会，浪漫爱情和美满性爱又过于重要，成了偶像。然而，圣经既不忽视个人对集体的责任，又不轻视爱情；圣经强调婚姻双方是伴侣。

这一点在本章的主题经文《以弗所书》5 章里很明显。

保罗的听众来自异教背景，他们认为婚姻只是“社会交易”。当时，你得娶（嫁）个门当户对的人。妻子的工作就是把你的家族与另一个体面的家族联系起来，然后生儿育女。这就是当时人们结婚的目的。

然而，保罗却让读者看到另一种婚姻，这幅图景是他们当时完全想象不到的。基督徒婚姻的主要目标不像古代文化那样是为了获得社会地位和维持稳定生活；也不像今天的文化那样是为了追求浪漫性爱和幸福感觉。保罗引导丈夫思考耶稣向我们——他的“新妇”——所付出的牺牲之爱。但保罗并没有就此而止；他接着说，耶稣为新妇牺牲的目标是为了使她“成为圣洁”（26 节），有大荣美，“可以归给自己”（27 节 a），使她完全“圣洁，没有瑕疵”（27 节 c）。他希望使我们成为新造的人！他要消除一切属灵的污秽、残缺、罪过和斑点，使我们成为“圣洁”、“荣耀”、“没有瑕疵的”。[7]

保罗在另一处对腓立比信徒说：“那在你们中间开始了美好工作的，到了基督耶稣的日子，必成全这工作。”（腓 1:6）这里，保罗提到基督徒逐渐成熟的过程，这个过程始于我们相信耶稣的那一天，传统上叫做“成圣”。保罗说，我们不应该以为可以提前完成这个过程——我们绝不应当以为自己在此时此地就可以达到完全。但保罗也让我们不要绝望。耶稣基督必成全这工。这个过程虽然缓慢，却是不可逆转，因为我们要靠圣灵的能力，“穿上新人，这新人是照着神的形象，在公义和真实的圣洁里创造的。”(弗 4:24)在此生，我们相信神，逐渐认识他，就“变成主那样的形象，大有荣光”(林后 3:18)。就连受苦也(尤其)能让我们变得更有智慧、更深刻、更坚强、更善良。

所以，我们并不沮丧，我们外面的人虽然渐渐朽坏，但里面的人却日日更新，因为我们短暂轻微的患难，是要为我们成就极大无比、永远的荣耀。我们所顾念的，不是看得见的，而是看不见的；因为看得见的是暂时的，看不见的是永远的。(林后 4:16—18)

保罗怎能向一切基督徒断言“神在我们里面创造新人的工作必定成全”呢？因为耶稣与我们同在，他时刻在鉴察这个工作。他是我们最好的朋友，“比兄弟更亲密”。他绝不会让我们失望。他把自己给了我们，要使我们成为荣耀、独特的人，好叫我们得以在他里面成为完全。《约翰福音》15:9—15 说“他必成全这工”，因为他是我们神圣的朋友；而在《以弗所书》5 章，“他必成全这工”，因为他是我们神圣的丈夫。凭着他救赎的工作，耶稣既是我们的朋友，又是我们的良人，而这应当成为基督徒婚姻的模式。丈夫和妻子要彼此当良人，作朋友，正如耶稣待我们一样。耶稣看见我们将来的荣耀(西 1:27；约一 3:2—3)，他在我们生命中所作的每件事，都在推动我们接近那个目标。《以弗所书》5:

28 把每场人类婚姻与那场最大的婚姻(教会与基督的连合)直接联系起来。"丈夫也应当这样爱妻子……"并且,怎么可能有另外的情况呢? 如果两个毫无关系的基督徒都要彼此激励,激发爱心和良善(来 10:24),认可彼此的恩赐,互相鼓励和监督,离开各人的罪(来 3:13),那么丈夫和妻子岂不更应当如此?[8]

谈婚论嫁的时候,肯定要面对"是否合得来"这个问题。这时,上述原则——配偶是最好的朋友——会改变整个游戏规则。如果你对婚姻的期待主要是性爱,那么,"合得来"就意味着性吸引力。如果你认为婚姻主要是用来提高你的社会地位,那么,"合得来"就意味着步入某个社会阶层,拥有相同的生活品味和生活方式。这些因素的问题在于它们都是不可持续的。身体的吸引力会衰减,不论你想多么努力挽留。社会经济地位可以一夜之间化为乌有。如果人们根据这些东西寻找合得来的人,就会常常痛苦地发现,他们把关系建造在流沙之上。女人容颜易老,男人工作会丢,这时候就合不来了。

但更悲惨的是,性吸引力和社会阶层这些特征虽然容易识别,却不能给人任何共同愿景。你们结婚是为了什么呢? 你们要往哪儿去? 如果你们的共同目标主要是物质的、经济的,这些东西确实暂时可以帮助你们合一,但这些目标不能创造深刻的合一。如果你们最终达不到这些目标怎么办? 达到了又该怎样? 如果你结婚主要是找性伴侣,是找经济依靠，那你其实是在走向死胡同。而走向死胡同的人，注定没有同伴。

伟大的异象

那么，婚姻到底是为了什么呢？婚姻是为了帮助彼此成为将来荣耀的“自我”，成为新造的人，就是神最终要把我们所塑造成的样式。丈夫和妻子的共同异象，就是神的宝座，就是我们必将拥有的圣洁、无瑕疵、无可指摘的美好性情。我想不出还有什么异象比这更伟大，这就是为什么基督徒必须把友谊放在婚姻关系的核心。这样，婚姻就从世俗的算计，提升到神圣的层面，其他婚姻观根本无法企及。

你有没有去过云遮雾绕、阴雨绵绵的山区旅游？向窗外看，几乎什么都看不见，只能看见面前的路。然后，雨住云开，你屏住呼吸，因为就在那儿，在正前方，出现了宏伟壮观的山峰。但过了一会，风起云涌，它又隐藏起来，让你半天见不到。基督徒也像这样。你有一个老我，还有一个新我（弗 4:24）。老我是残缺病态的，有各样的焦虑，总要证明自己，有许多改不掉的坏习惯，还有根深蒂固的罪性和缺点。而那个新我仍然是你自己，但已经脱离了一切罪性和缺点。这个新我常在“施工中”，而且有时候老我的乌云会把新我遮住，几乎完全看不见。也有时云开雾散，你就看见那个智慧、勇敢、仁爱的自己。这就是你将来的样式。

在这种基督徒的婚姻观里，我们看到“坠入爱河”的真意。爱一个人，就是看到神在这个人里面工作，并且感叹：“我看到神正在把你变成更好的人，我真高兴！我想参与其中。我想陪着你和神一起走这条路，就是通往神宝座的人生旅程。一旦我们抵达终点，我必看见你的荣美，赞叹说：‘我早就知道你会变成这样！我在地上的时候就看见了一丝光彩，但你现在比我原来想的更美！’”每个配偶都应当看见耶稣借着福音之道在对方生命中所成就的大工。于是，每个配偶都应当让自己成为一个器皿，去参与这项工作，并且仰望二人一同在神面前侍立的日子。到了那日，他们将彼此献上，毫无斑点瑕疵，尽都荣美。

我妻子凯西常说，多数人找配偶是在找一个已经雕刻完毕的塑像，其实，他们应当找的是一块璞石。找石头不是为了让你可以创造你想要的人，而是因为你看见神正在创造他想要的人。人们问米开朗基罗是如何雕刻大卫像的，米开朗基罗的回答非常著名：“我透视这块大理石，我的工作只是去掉那些不属于大卫的部分。”在寻找婚姻伴侣的时候，双方都必须有这种洞察力，看见神创造新人的工作，并且乐意参与这个过程，把一个逐渐浮现的“新人”解放出来。

如果我们让他工作……他必使我们当中最软弱、最污秽的，变得好像神一样，美轮美奂，光彩照人，永不凋残，不断向四周放射能量、喜乐和智慧，远超过我们目前所能想象；他必使我们成为一面明亮无瑕的镜子，可以反射神自己无尽的能力、喜乐和良善（当然，程度较小）。这个过程是漫长的，甚至有些步骤是极其痛苦的；但这就是此行的目的。不达目的绝不罢休。[9]

这绝非一种天真幼稚、浪漫主义的方法——正好相反，这种方法非常现实，甚至现实得有点残酷。按照这种婚姻观，每个人都告诉对方，“我看见你的一切缺点、软弱和不足。但在这些东西下面，我也看见神想让你成为的样子。”这与找个“合得来”的人是完全不同的。前面已经讲过，“合得来”这个词意味着我们想找一位伴侣，对方愿意照着我们的本相接纳我们。而基督徒的方法与之正好相反！寻找理想的配偶是没有尽头的。基督徒的婚姻观完全不是愤世嫉俗或冷漠无情，不是找一个为我所用的配偶，给我带来社会地位、财务安全或美满性爱。

如果你看不到配偶的深刻缺点、软弱和不足，那你连门儿还没进。但是，如果你看不到配偶的进步和对方将来荣耀的样式，并因此而欣喜，就不能运用婚姻中属灵友谊的力量。我们的目标是看到神在配偶身上所做的善工，神正在让对方变得美好。虽然还没有竣工，但你现在就能看见神荣光的闪现。你愿意帮助配偶成为神所希望的样子。

一对深明此理的基督徒恋人穿着礼服站在牧师面前，这时他们知道自己不是在扮家家。他们所说的其实是，有朝一日，他们必这样站在神面前，而不是牧师面前，到那时候，他们必彼此相视，看见对方毫无斑点和瑕疵。他们希望听见神说："做得好，良善又忠心的仆人。多年来，你们将彼此交托给我。你们为彼此牺牲。你们用祷告和感恩彼此扶持。你们面对彼此的过错，你们彼此责备，你们彼此拥抱，彼此相爱，不断彼此督促，朝我靠近。现在，看看你们多么容光焕发。"

浪漫、性爱、欢笑和简简单单的快乐，这些都是成圣、炼净、得荣耀过程的副产品。这些副产品固然都是好的，但它们不足以让婚姻走过年复一年、平淡无奇的生活。白头偕老的关键就是投身于配偶成圣的过程；你要努力让对方变得更加美好；你要努力让对方变得更加伟大，更加完美；你要努力让对方追求诚实，热爱一切神圣事物。这是你作为配偶的职责所在。如果你们没有这个目标，结婚就只是扮家家。

现在，我们明白，"婚姻是友谊"是多么符合"爱是委身"。在十字架上，耶稣并没有满怀钦慕和爱意俯视着我们。我们对于他毫无吸引力，但他为我们舍命。他把我们的需要摆在自己的需要之前；他为我们而牺牲。但圣经告诉基督徒夫妇，不仅要效法基督爱的品格和样式，还要效法基督爱的目标。耶稣舍命不是因为我们可爱，而是要让我们变得可爱。保罗说，基督死了，好"使我们成为圣洁"。这意味着，保罗在督促基督徒夫妇帮助配偶爱耶稣胜过爱自己。[10]这句话听起来很悖论，但绝非自相矛盾。一言以蔽之，我只有爱耶稣超过爱妻子，才能服侍她多过服侍我自己；只有我的心房充满了从神而来的爱，我才能在生活艰难或者关系不顺的时候，以忍耐、信实、温柔、坦诚对待妻子；并且，我越顺服基督，越因此喜乐，就越能与妻子和家人分享这份喜乐。

给当代文化的信息

在古代传统文化中，保罗关于婚姻的教导当然是非常奇特的。但是，在今天的社会中，他的话可能同样令人难以接受。

有一种常见的情况：你有一位异性朋友，你们有许多共同点。你信任对方有智慧，发现自己可以向对方敞开心扉，分享私密的想法，也不用担心什么。对方很理解你，并且耐心听你讲话，给你很好的建议。但这个人对你没有男女之间的那种性吸引力。也许对方没有你喜欢的身材。你觉得完全没有那种激动感。然后，你遇到另一个人，对方非常吸引你。这个人有你所青睐的外表和社会地位，而且对方对你也很有好感。于是你们开始约会，在一起很开心，越来越亲密。但是，如果你对自己诚实，就会承认，从当朋友的角度，后者根本比不上前者，而且这种状况不太可能改变。[11]

这下难办了。你的配偶需要成为你最好的朋友，或正在发展成为你最好的朋友，否则你就不会拥有一个坚固美满的婚姻，就是经得起风吹雨打、让你们双方因彼此而变得更好的那种婚姻。

我不是说你应该专找没感觉的人结婚。但圣经确实表明，你和配偶的关系必须超过你最亲密的朋友，不能连朋友都不如。男人找配偶注重容貌，女人找配偶注重财富，我们都知道这种刻板印象并非毫无道理。但是，如果你专为这些东西结婚，完全不顾情谊，那你不仅注定失败——财富可能减少，容貌可能衰老——而且注定孤独。因为亚当在伊甸园里需要的，不仅是性伴侣，而且是朋友，是骨中之骨，肉中之肉。

如果单身者接受这个原则，他们找对象的方式就会彻底改变。现在典型的做法是，走进一个房间，里面站着许多异性，身上标着号码，然后开始扫描，不是看情谊，而是看外貌和财富。比如说，十个里面有三个外貌好看，下一步则是找这三个谈话，看看对方是否对你有兴趣。如果有一个愿意和你约会，你就恋爱了。或许你会发现，这个人也可以当朋友。问题是，很多原本可以成为朋友的人，早就被你排除在外，因为他们太高或太矮，太胖或太瘦。

我们找结婚对象首先是找性伴侣（或供应者），如果还能作朋友，那是锦上添花——这就是当代人的求偶思路。

但我们应当反其道而行。首先要寻求友谊。要找一个比你更了解你的人，一个能使你变得更好的人，然后再看这种友谊能否发展成为爱情和婚姻。

所以，很多人刚开始约会就搞错了方向，等结婚以后，婚姻生活变得既没有滋味，也没有盼望。

婚姻的次序

"婚姻始于友谊"，这个原则有一个非常重要的含义。如果你把配偶首先当作性伴侣或财务伙伴，你就会发现，你需要到婚姻以外去追求真正的心灵契合。这样一来，孩子、父母、职业、政治或社会活动、嗜好或朋友圈子——这些东西中的一个或几个——就会抓住你的心思，带给你快乐和人生意义，并且榨取你的情感，让你的婚姻显得干瘪无味。如果你的配偶觉察自己不是你人生的首位，你的婚姻就会走向死亡。你的配偶不能只是你的性伴侣和提款机，还得作你最好的朋友，只有这样，婚姻才可能成为你最重要、最幸福的人际关系。

在《以弗所书》5 章，保罗引用《创世记》2:24 的经文——人结婚的时候，"要离开父母，和妻子连合。"西方人读到这个命令不觉得有什么大不了，但其实这句话在当时可谓石破天惊。古代文化非常强调孝道，强调父母和子女的关系。孝敬父母、达到父母的期望，是最重要的伦理道德。哪怕到了今天，在那些比较传统的文化中，父母和祖父母在家庭里仍然享有很高的权威，而儿女的责任就是孝敬父母，首先满足父母的要求。这种尊重当然不无道理。应当承认，你在成家立业之前，对你影响最大的人际关系——不论是好的影响还是坏的影响——就是你和父母的关系。没有他们，你就不能存活，更何况绝大多数父母都为孩子作出巨大的牺牲。

然而，就在这种父权文化中，对于“父母是天”的社会现实，神说：“我没有在伊甸园安置父母和孩子，我安置的是丈夫和妻子。你是和配偶结合，夫妻关系必须高于其他一切关系，包括与父母的关系。配偶和婚姻必须在你生活中居首位。”

你的婚姻必须成为对你最重要的东西，胜过其他一切。你的配偶应当从你那儿得到最多的爱、关注、殷勤和委身，其他人都不能超乎其上。尽管人与父母的关系非常重要，但神让人离开父母，去打造一种全新的合一，这种新关系必须成为人生当中更重要、更强大的力量。

各式各样的伪配偶

我年轻的时候在美国一个南方小镇当牧师，给很多人作过婚姻辅导。有些婚姻破裂，肇因是酗酒、吸毒、看色情小报或婚外情这类事。但是，在我所见到的多数婚姻中，问题的根源往往不是坏事，反倒是某些好事，是因为人们过于看重那些好事。一旦某个好东西变得比你的配偶更迷人，更重要，它就能毁掉你的婚姻。

这种伪配偶有许多变体。有时候我听有些妻子说："他父母的意见比我的重要。他讨他们欢心，胜过让我高兴。"又听有些丈夫说："她全身心扑在孩子身上，孩子的需要、活动、学校、社会生活。至于我需要什么，她一耸肩说，'好吧。'但只有孩子和孩子的事才让她高兴。对她来说，当母亲比当妻子幸福多了。"我也听丈夫或妻子这样评价："他(她)的工作才是最重要的。职业规划是他(她)真正的配偶——他(她)把所有创造力、时间和精力都献给工作了。"如果你的配偶不觉得你把对方放在首位，那么，你当然就没把对方放在首位。并且一旦发生这样的情况，你的婚姻就摇摇欲坠、岌岌可危了。

很多人婚姻出现问题是因为他们没有真正"离开父母"，未与配偶合一。如果你的生活动力首先是父母的期望，而非配偶的期望，那你还没有离开父母。但是，如果你过于厌恶父母，那你也没有离开他们。例如，你可能说："我不愿带孩子去教会，因为我小时候父母每周都带我去教会，我特别讨厌他们强迫我！"这意味着你仍旧受到父母辖制。你的决策不是基于孩子的需要，而是基于你对父母的厌恶感。你又说："我不能嫁给他——他让我想到我父亲。"他长得像你父亲又怎样？你应该根据他各方面的整体表现以及他与你的关系来判断他的人品。别让你和你父亲的坏关系控制、影响你和配偶的关系。你必须把这些东西抛到脑后。

有些夫妇不停地争论生活中的很多现实问题，从“如何作决策”到“如何度假”，再到“如何管教孩子”。如果你总说“我父母在家就是这样的”，那你可要当心了。也许有些运作方式在你父母家行得通，但不应该照搬到你自己的家里来，除非你的配偶也喜欢这种方式。如果你机械地照搬在父母家里看到的行为模式，不和配偶同心协力找出适合你们双方的新模式，那你就还没“离开父母”。

“愚忠父母”让很多婚姻触礁。但也有人说，“溺爱孩子”才是更严重的问题。很多事实表明，这是今天的一个主要试探。首先，你的孩子确实非常需要你。孩子是新家而非旧家的一部分，所以父母自然会把养育孩子当作生活中非常重要的使命。同样，如果夫妻关系逐渐冷淡，你们自然会首先转向亲子关系，寻求安慰和满足。

但是，如果你爱孩子胜过爱配偶，整个家庭都会脱节，每个人都会受伤。这绝非危言耸听。我认识一个女子，她把生命献给自己的女儿，但她的做法把夫妻关系搞得很紧张。丈夫讨厌她在孩子的音乐生涯中投入那么多时间和精力。每个人都看得出，母亲想通过女儿实现自己没有实现的某些梦想，但她在这个过程中破坏了婚姻。讽刺的是，这对她女儿是最糟糕的事，父母婚姻崩溃让她心里很焦虑。父母婚姻稳固，可以让孩子健康成长，感到世界是一个安全的地方，爱和被爱是可能的。同样道理，这个女儿不能从父母身上看到如何经营婚姻，也学不到男人和女人应该如何相处。这位母亲把女儿摆到丈夫之上，反而害了女儿。

事情的转机来自于一位辅导员讲的实话："当好母亲的最佳办法，就是当好妻子。这是你女儿最需要从你身上学到的功课。"

有关虐待儿童的研究显示，很多人打孩子不是因为恨孩子，反倒经常是因为过于倚赖孩子，孩子成了他们的情感寄托。如果孩子不乖，不回报他们的爱，他们就会发火，就会失控。但孩子毕竟是孩子。他们不应该被期望像配偶一样给你友情和爱。

婚姻的力量

婚姻很像神的救恩，很像我们与基督的关系，难怪保罗说，不认识福音就不懂得婚姻。那就让我们先来认识福音。救恩是一个全新的开始。旧事已过——看哪，都变成新的了。而且，一旦我们借着福音与基督结合，一旦他成了我们的神圣配偶，一旦我们和他进入一种类似婚姻的关系，基督就成了我们生命中的绝对权威（西 1:15 及以下经文）。换句话说，耶稣所要的，正是配偶所要的。"我要居首位，"他说，"在我面前不可有假神。"婚姻也是如此。你必须把婚姻和配偶放在第一位，并且不能把其他"好东西"（例如父母、子女、前途、嗜好）变成伪配偶。

保罗在《以弗所书》5:28 讲了另一个比喻。他说，丈夫要爱妻子，如同爱自己的身体。保罗是在指出一个事实：你的健康是你做一切事情的基础。如果你断定赚很多钱会让你幸福，于是你把工作放在你的健康之前，结果会怎么样呢？你会拼命工作，不锻炼也不休息，吃得很马虎，让自己承受过大的压力。你是赚了很多钱，但你的心脏病会让你无福消受。换句话说，如果你觉得自己可以把这种“幸福”放在健康之前，实际上你根本不会幸福。所以，相比财富，健康对幸福更为重要，大多数失去健康的富人都会告诉你这个道理。

保罗把婚姻比作身体的健康。前面讲过，婚姻必须是生活中最基础的人类关系。你们一结婚，就进入神所设立的盟约里。并且，如果你决定按照自己的方式来管理婚姻，肯定要栽跟头，因为婚姻是神所设立的制度。他按照自己的旨意来建造婚姻，要让婚姻成为你生活中的第一人际关系。如果你认为婚姻是你伟大职业生涯的扶手，如果你认为婚姻是你人生的第二位或第三位，如果你认为配偶最好接受这个现实，那你可得小心了。婚姻不是这样设立的。你一结婚，婚姻就必须居首位。

婚姻必须居首位，因为婚姻具有强大的力量。婚姻能够影响你整个生命的进程。如果你的婚姻坚固，哪怕生活中的一切都充满了麻烦和软弱，也没有关系。你可以刚强地去面对世界。然而,如果你的婚姻软弱,哪怕生活中的一切都标示着成功和能力,也没有用。你会无力面对世界。婚姻就有这种力量——足以影响你整个生命的进程。婚姻之所以具有这种力量,是因为婚姻是神所设立的。而且,正因为婚姻具有这种无与伦比的力量,所以婚姻必须享有无与伦比、至高无上的地位。

本章的主要信息是:要让婚姻具有这种优先地位,关键就在于属灵友谊。在很多婚姻里,追求神只是可有可无的事。很多基督徒庆幸自己找了个信徒,但他们认为配偶的信仰只是锦上添花,只是"让对方和我更合得来"的许多因素之一,就像一个共同的兴趣或嗜好。但这并非属灵友谊的本意。属灵友谊是渴望帮助彼此更深地认识神、服侍神、热爱神和效法神。

一位信徒听我讲了《以弗所书》5 章——保罗说婚姻的目的是使我们"成为圣洁"。她对我说:"我原以为婚姻的目的就是得到幸福!听你讲,婚姻好像要做很多工作。"她说得没错,婚姻确实有很多工作要做,但不该把成圣与幸福对立起来。容我解释。保罗说,婚姻的一个主要目的是使我们"成为圣洁……什么污点皱纹等也没有,而是圣洁没有瑕疵……"(弗 5:26—27)这是什么意思呢?这意味着,我们里面养成耶稣的品格,就是《加拉太书》5:22—26 所说的"圣灵的果子"——仁爱、喜乐、平安、忍耐、恩慈、良善、信实、温柔、节制。一旦我们里面有了耶稣的爱、智慧和能力,再结合我们独特的恩赐和呼召，我们就会变成“真实的自己”，我们才“像样”，就是我们被造所该有的样子。圣经的每一页都在向我们呼吁：这趟旅程，你一个人走不完。我们必须与弟兄姊妹、我们的心灵之友一起面对，一起分享。而最适合这趟旅程的人类伴侣，莫过于你的爱侣，你的配偶。

这是不是要做很多工作呢？确实是，但这正是我们受造的目的所在。这是不是意味着“婚姻和幸福无关，只是关乎成圣”呢？是，也不是。前面讲了，这种对比是错误的。如果你知道圣洁是什么，你就会明白真正的幸福就在圣洁的远端，而非近处。圣洁给我们新的渴望，又将旧的渴望一个个梳理齐整。所以，如果我们想在婚姻里得到幸福，就会接受神设立婚姻的目的是让我们成为圣洁。

正如C.S.路易斯所写：

> 他赐给我们的幸福是真实存在的，而非虚无缥缈的。只有三种不同的选择：自己作神；站在受造物的位置去效法神，有份于神的良善；落入悲惨。如果我们不去学会吃整个宇宙所生长出的唯一食物——也是任何可能的宇宙所能生长出的唯一食物——那么我们必定要永远挨饿。[12]

总原则已经讲了，现在我们可以讲具体的问题了。夫妻究竟该如何彼此扶持，同走成圣之路？答案就在下一章。

第5章 爱那个陌生人

……为教会舍己，为的是要用水借着道，把教会洗净，成为圣洁。

《以弗所书》5:25—26

让我们回想侯活士的至理名言：

我们从来不认识我们的配偶；我们只是自以为认识。即便我们当初找对了人，过不了多久，对方会变。因为婚姻这件人生大事意味着：我们一走进去，就不再是原来那个人。婚姻最大的问题是……学习如何关爱自己所嫁(娶)的那个陌生人。[1]

侯活士的思想非常现实，结婚多年的人会觉得他讲到心坎里了。婚姻改变我们。生孩子改变我们。换工作改变我们。年龄改变我们。最明显的是，婚姻把隐藏的东西显露出来：我们有些特质一直存在，却不为人知，连我们自己也不知道，现在却在配偶面前暴露无遗。

多数人经过恋爱进入婚姻，恋爱的感觉很美好，而热恋更是让人陶醉。两个人可能爱得如痴如狂。婚姻辅导专家和作家查普曼（Gary Chapman）说，恋爱阶段一般可以持续几个月到两年，这个阶段有一种错觉，觉得对方所有重要方面都是完美无缺的。查普曼有一个辅导对象，名字叫珍，他这样描述珍的情况："珍的好朋友看出珍的未婚夫有很多缺点——她发现他有时对珍说话态度粗暴，这让她感到不安，便提醒珍，但珍不听。珍的母亲也发现这个年轻人不能维持稳定的工作，但她没有明说，只是礼貌地问珍，'瑞恩将来有什么打算？'"

查普曼接着描述恋爱的状况：

当然，我们并非全然天真幼稚。我们在知性上知道，我们最终会有分歧。但我们相信……我们会[迅速]达成一致……对方的相貌和性格魅力征服了我们。恋爱，我们从未体验过如此美妙的东西。我们看到一些已婚夫妇似乎失去了恋爱的感觉，但这种事绝不会发生在我们身上。"也许他们当初并非真爱，”我们心里暗想。[2]

我们结婚之后，对方的缺点每天看在眼里，热恋的感觉渐渐烟消云散。当初看似无伤大雅的小问题，现在赫然耸立在我们面前。我们开始觉得，当初一点也不了解这个人。于是我们面对一个挑战：此时此刻，对方不是自己印象中所嫁（娶）的那个人，而是一个陌生人，我该怎样去爱这个陌生人呢？

遇到这种情况，不同的人会有不同的反应。如果你结婚的目的是找到“心灵伴侣”——一个无条件支持你的人，不会试图改变你，而是帮助你达成生活目标——那么，婚姻的现实就会让你感到茫然无措。每天早晨醒来你都会发现，你必须投入许多精力才能把婚姻维持下去。更难受的是，你会发现配偶也觉得你是陌生人，并且开始跟你对着干，数落你一大堆的不是。你的第一反应是告诉自己选错了对象，没找到真正合得来的人。

然而，如果两人结婚之初就明白婚姻的目的是为了建造属灵友谊，携手走向基督新造的人，那会如何呢？如果你们期待婚姻让你们帮助彼此成长，脱离罪恶，弥补缺陷，成为新的自我，就是神借着婚姻正在创造的新人，又会如何呢？如果是那样，你们会盼着“陌生人”季节来临。而且季节一到，你们就会挽起袖子干活。

干活的“工具”有哪些呢？我们如何在属灵友谊中彼此

相待，一同走向将来的自我呢？我们如何彼此相爱，让婚姻从坚强走向牢固，而不是在反复的争吵和无益的沉默中走向死亡？根本的答案在于：你必须运用神恩典的力量，在爱中讲诚实话。

却要在爱中过诚实的生活，在各方面长进，达到基督的身量。（弗4：15）

这句话乍一听似乎很平常，直到我们把里面的语词逐一解开，才发现奥妙无穷。婚姻是神所设立的，它具有某些内在的“力量”——真理的力量、爱的力量和恩典的力量，我们必须加以接受和利用。一旦我们把这些力量运用于配偶生命中，就可以帮助对方成长，使对方变得更好，让对方不仅能反映基督的品格，还能以同样的方式帮助我们。一旦我们发现自己很难去爱家里那个“陌生人”，这三种力量就会来改造我们。

真理的力量——面对可怕的真相

克尔凯郭尔的书里有段话，说我们好像一群人参加化装舞会。“岂不知，午夜时刻一旦降临，人人都得摘掉面具？”[3] 当时有一种风俗，化装舞会刚开始的时候，人人都戴着面具。在这段时间，大家一起跳舞、吃喝、交谈，但没人知道谁是谁。然而，到了午夜，所有面具都得摘掉，于是每个人都显出自己的真实身份。灰姑娘的故事在某些方面是这个主题的延伸，它告诉我们一个真理：时间将到，你得脱掉一切华丽的包装，那个真实的、本色的你站在那儿，赤裸裸地展示给众人看。听上去很像末日审判，对吧？婚姻也是如此。在婚姻里，你无法隐藏。你赤裸敞开。面具和首饰摘得精光，一丝不挂。怎么会这样？

婚姻让两个人密切接触，亲密程度超过其他任何关系。父母和子女的关系当然非常亲近——他们住在一起，了解彼此的性格——但父母和子女之间有巨大的权力差别。孩子和父母身处两个不同的层面，所以孩子说了什么错话，父母不用放在心上，孩子也可以很快就把父母的批评忘得一干二净。再说，双方都知道孩子长大就会离开。

婚姻也比同居关系更无法逃避。未婚同居当然可以近距离地互相观察，但双方都知道对方无法主张婚内的合法权利。他们不能把整个生命——社会、经济和法律各个层面——融合起来，并且因此，如果两人不喜欢对方的做派，双方都能转身离开，不用担心引起什么麻烦。

婚姻与这些关系都不同。婚姻融合两个人的生活，让你与另一个人发生最紧密、最无法逃避的接触。而且这意味着你们不仅要近距离观察对方，还得处理对方的缺点和罪。

配偶会看到你哪些缺点呢？你可能是一个缺乏安全感

的人，有过于焦虑的倾向。你可能是一个骄傲的人，武断而又自私。你可能是一个刻板的人，又喜欢发号施令，如果别人不听，就会发怒。你可能是一个粗暴严厉的人，人们怕你多过爱你。你可能是一个缺乏自制力的人，靠不住又没纪律。你可能是一个健忘的人，无法集中注意力，不够敏感，不知道如何与人交往。你可能是一个完美主义者，经常论断人、批评人，也会给自己很大压力。你可能是一个没有耐心、容易激动的人，常会心怀怨恨，忍不住发脾气。你可能是一个我行我素的人，不喜欢照顾别人的需要，不喜欢和别人一起做决定，并且最讨厌自己去求人。你可能是一个特别想讨人喜欢的人，所以你会隐瞒真相，你不能保守秘密，并且你总想讨好所有人，近乎谄媚。你可能很节俭而又过于吝啬，极不愿意花钱来满足自己的合理需要，对别人也不够大方。

别人看得见你的这些缺点。你的父母肯定知道，而且和你同住过的人也知道，例如兄弟姐妹或大学同宿舍的朋友。但如果他们给你讲这些问题，你可能觉得他们对你有偏见或看走了眼，或者轻描淡写地说以后会努力改正，从而逃避批评的压力。然而，这些当面批评你的人不会持续观察你的表现，因为你的缺点不会给他们造成太多困扰，而且你也没有真正承认问题的严重程度，配偶则不然。

你的性格缺陷或许会给别人造成小麻烦，但会给你的配偶和婚姻带来大问题。例如，有些人心胸狭窄，交朋友可能遇到麻烦,但在婚姻里,这个缺点足以扼杀夫妻关系。论到你的缺点,没有谁比你的配偶更受困扰,更受伤害。所以,你的配偶比别人更清楚你的问题,对方的感受刻骨铭心。

我主持婚礼的时候,常用桥来比喻婚姻的这个问题。想象一条河上有一座桥,桥上有结构缺陷,几乎看不出来。可能有细如发丝一样的裂缝,需要非常仔细检查才能发现,但肉眼看不出什么问题。现在有一辆十吨大卡车开上桥来。会发生什么事呢?卡车的压力会扩大那些发丝一般的裂缝,现在就看得见了。结构缺陷会暴露出来,所有人都看得见,因为卡车的重量压在桥上。这下,所有缺陷都清清楚楚。卡车并未制造裂缝,只是把裂缝暴露出来。

你结婚之后,你的配偶就是一辆大卡车,从你心上直直地开过去。婚姻把你的缺点全部暴露出来。婚姻并没有制造弱点(尽管你可能责怪配偶要为你的失败负责),婚姻只是暴露弱点。但这不是坏事。如果你觉得自己已经很完美了,又怎能改善,成为"荣耀的自我"?

我在2002年例行体检的时候诊断出甲状腺癌。医生摸到我脖子上有一个肿块。手术和后续治疗痛苦而可怕,尽管如此,我从来没想过:"唉,要是医生没发现就好了。肿块这么小,他干嘛不视而不见,省得这么麻烦!"因为"省得麻烦"的后果会更加麻烦,甚至是致命的,不如趁肿瘤还小、还没扩散的时候及时发现和治疗。

要让婚姻成为有助成长的健康关系，首先要接受婚姻生活这一固有特点。究其本质，婚姻具有“真理的力量”——它能向你展示你的本相。人们听见配偶刻薄而全面地批评自己，会感到十分错愕。他们的第一反应是“我找错了人”。但你必须意识到，归根结底，使你内心的罪大白于天下的，并非你的配偶，而是婚姻本身。与其说婚姻让你面对配偶，不如说婚姻让你面对自己。婚姻给你展现一幅未经粉饰的现实主义图画，图上画的就是你自己；然后揪住你的衣领，逼你仔细看。

这听上去有点让人泄气，但其实这是通往自由之路。婚姻辅导员会告诉你，只有你看不见的缺点才能奴役你。如果你否认自己性格中的某个特征，那么这个特征就会控制你。但婚姻揭开黑幕，把灯打开。现在有希望了。你终于可以对付真实的自己了。不要抗拒婚姻的真理力量。要允许配偶告知你的问题是什么。保罗说，耶稣“洗净”我们，让我们没有瑕疵。要给配偶这个权力，让对方洗净你。

在罗布的整个生活中，他几乎没有什么朋友。一个原因是他从小就很难体谅别人的感受。他极度缺乏同理心，不明白为什么别人反感他的言语和行为。他读四年级的时候，学校的辅导员对他父母说，他认为罗布是“轻微的反社会人格”，这种人经常践踏别人的情感，因为他不能同情和理解别人的感受。这种性格缺陷多年来为罗布制造了很多麻烦，但他不能正确认识这个问题的本质。他的朋友多是泛泛之交，而且他在最初几份工作中老是越界，搞得上上下下都讨厌他。他还因此弄丢了一份工作。

后来他遇到杰西卡。他们才约会两次，就深深坠入爱河。杰西卡觉得他聪明健谈，这倒是事实，而且杰西卡性格坚强，不太容易受伤。有几次，他的幽默感露出刻薄和伤人的苗头。这是他一贯的问题，但杰西卡和其他人不一样，她一笑置之，并不当真。他太高兴了！终于遇到一个度量大的女人了。

于是，他们结婚了，但随着时间推移，罗布麻木不仁的幽默和半虐待式的语言越来越刻薄。人在恋爱的时候，行为举止是最美好的；但在家里，和熟悉的人待在一起则不然。这时候，我们的天性占上风。我们不再克制自己。很快，罗布的性格问题完全暴露出来，杰西卡看到每个丑陋的细节。杰西卡看见他如何与别人谈话，他们多数没有她那么好的耐性和那么大的肚量。她意识到，他一辈子都难以摆脱人际关系的麻烦。她对他彻底失望了，而且，结婚才一年，她就发现自己开始幻想单身生活，摆脱丈夫。

罗布发现杰西卡很不快乐，这引起他的警觉，于是他们一起找教会牧师寻求辅导。这是一趟漫长的旅程。他们和教牧辅导员面谈多次之后，终于取得首次突破。一天晚上，罗布和杰西卡都意识到，神把杰西卡带到罗布的生活中，正是要对付他这个问题。杰西卡是一个坚强的女人。罗布需要这样一个人，可以当着他的面说："你伤害我了。我要告诉你我的真实感受，直到你学会如何与人讲话。我不会夹起尾巴做人，也不会反击你。我要像耶稣对待我们一样对待你——他在爱里接纳我们，但他不会任凭我们犯罪毁掉自己。"她正是这样的人。

罗布从未遇见一个如此爱他的人。其他人要么放弃，要么退缩，要么直接打击他。而杰西卡却不然，她平静而坦诚地描述他言语的伤害效果。而这个告诉他讲话伤人的人，正是他在世界上最爱的人。她的话是最有效的。杰西卡的爱越高贵美好，他越不希望看到她受伤。所以，罗布开始倾听，开始学习和改变。这个过程是缓慢的，却是不可扭转的。

杰西卡也逐渐看到自己需要彻底改变。她说："我有一种强烈的独立精神，这让我很难倚赖任何人。如果谁让我失望，我转身就走。我完全没有耐心伺候别人。"她看见罗布的严重问题，也想像以前一样逃跑，但既然结婚了，婚姻的誓言让她没法逃走。生平头一遭，她没有逃离一个糟糕的人。

罗布结婚三年后，他父母几乎不认识他了。他变得周到而体贴，完全出乎他们的意料。杰西卡的父母则发现她变得温柔而包容，他们从未见过她这样。婚姻的"真理的力量"发挥作用了。

你的配偶，就是那个“更好的”

所以，我们看到，婚姻的“真理的力量”是一份大礼，却也是一份难收的大礼。一旦你看到配偶的某些新缺点，或者对方总是告诉你这不对那不对，我们会感到五雷轰顶一般。我们好像刚开采出来的矿石。结婚的时候，你只看到金子，但随着时间流逝，你看到一切杂质。你看到对方各种糟糕的态度、性格缺陷和坏习惯，这些东西都是矿渣，要随着时间被神的荣耀焚烧干净。这些缺点并非恒久不变。但它们会在你眼里变得可怕，并且造成严重问题，令人难以忍受。

然而，如果两个人都学会区分矿渣和金子，这种状况就可以得到改善。别再说，“他这人就这样，我特别烦这点”，相反，要明白你所讨厌的这部分并不是真实的他，他也不会永远是这样。在《罗马书》7:14—25，保罗提到自己里面有一个动态过程:“我不愿意作的恶，我倒去作了”，所以，“那就不是我作的，而是住在我里面的罪作的。”这并不表示保罗不为自己的行为负责，但他知道恶行不是按着他“里面的意思”，而他心里最深处“喜欢神的律”。基督徒配偶必须像保罗这样去区别“人”和“罪”。

我们应该说:“我讨厌他这样做，但那不是真正的他。那不是不可改变的。”更好的做法是两个人一起努力，找出对方身上的矿渣和金子，达成一致意见，然后就可以这样说："这是真正的你，这是真正的我；这是神希望我们变成的样子，这是我们需要改变的地方。我们得齐心协力对付这个问题。"

人看见矿渣会感到失望，我承认。一旦看见配偶的缺点，有些人就想逃离婚姻。有些人则选择退缩，调低幸福期待值，开始学习和平共处。还有的人长期争吵，责备配偶给自己带来不幸。然而，这些做法有一个共同点：一旦看见对方的缺点，就想，"我得找个更好的"。

但基督徒婚姻的优点就在于你完全可以去想象"更好的"，因为你可以去想象对方将来的样子。那个更好的人，就是你现在的配偶。神确实让我们渴望完美的配偶，但你应当在你已娶（嫁）的人里面去找这个完美的配偶。何必舍玉求瓦？结果却发现新欢也同样有深藏不露的缺点。有些人多次结婚，总是经历"从迷恋、失望、拒绝到另觅新欢"的循环，一再重复。你必须守住眼前的伴侣，才有机会真正看见他荣耀的自我。这是唯一的办法。

很多人问我："你怎么知道两个人有无牢固的友谊，可以发展为婚姻？"凯西和我总是这样回答：你们看到彼此的问题时，是想逃避呢，还是想一起解决问题？如果你们是第二种反应，就有婚姻的基础。你们是厌恶配偶的外在缺点呢，还是看见对方的内在美，并且希望看见对方变得更加璀璨？如果是后者，就继续前进吧。你们不应当恐惧婚姻所拥有的真理的力量。[4]

义　　怒

我们已经讲了真理的力量，下面要讲爱的力量。但在此之前，我要鼓励读者别忍住不说实话。凯西常谈到一件事，她称之为“义怒”。她说的义怒不是情绪失控，而是坚持原则，让对方尊重自己的意见。

若干年前，我们举家搬到纽约，开始建立救赎主长老教会。当时，我们知道这件事耗时又费力，尤其是我这个人工作起来就没节制。别的植堂牧师警告说，我的生活会“失去平衡”，这一时期大约会持续三年。也就是说，我每天得工作很长时间，长此以往就很难保证自己的健康和家庭的和睦。于是，我求凯西给我三年时间，这段时间允许我长时间工作。“三年之后，”我承诺，“事情会不一样。我会缩短工作时间。好吗？”“好吧，”她说。

但三年期限来了又去，凯西让我按照约定缩短工作时间。“再给我几个月就行，”我说。“这事那事已经答应别人了，我得弄完。只需要几个月。”我总是老调重弹。几个月飞逝而去，一切照旧。

一天我下班回家。外面天气不错，我发现通往我们公寓阳台的门开着。我正在脱外衣，听见阳台上传来“啪”的一声。过了两秒钟，又听见一声。我走到阳台上，吃惊地看见凯西坐在地上。她手里拿了一把锤子，旁边堆着一摞我们结婚时别人送的瓷器。地上是两个砸烂的茶碟碎片。

“你这是做什么?”我问。

她抬起头，说：“你不听我说话。再这样下去，这个家就毁了，你还是不听。不知道怎么让你明白。你看不到这件事多严重。看看你干的好事。”她手起锤落，第三个茶碟变成碎片。

我吓坏了，赶紧坐下。我以为她精神崩溃了。“我听，我听，”我说。随着谈话进行，我发现她虽然很严肃，但并不狂暴，也没有情绪失控。她说话平静而有力。她所讲的理由和之前所讲的一样，但我这次意识到自己以往的盲目。我永远没有合适的时机缩短工作时间。我很享受工作成就，难以自拔。不能再这样下去了。她看到我第一次仔细听她说话。我们拥抱在一起。

最后我忍不住问：“我刚过来的时候，以为你情绪失控了。你如何这么快就控制住自己的?”

她莞尔一笑：“我可没有失控。看见我砸的这些碟子了吗?”我点点头。“这几个碟子没有杯子配。几年前杯子就摔碎了。这三个碟子是多出来的。还好你动作快，不然我还得继续砸!”

要允许对方监督你。“趁着还有叫作‘今天’的时候，总要天天互相劝勉，免得你们中间有人受了罪恶的诱惑，心里

就刚硬了。”(来 3:13)[5]

爱的力量——从心更新

婚姻具有“真理的力量”,可以让你看到自己的本相,看到你的一切缺点。幸好,婚姻也有“爱的力量”——这是另一种无与伦比的力量,可以让你得到肯定,并且医治你生命中最深的伤痛。

你带着一个自我形象进入婚姻,这个自我形象是你对自己价值的评估。它混合了许多人多年来对你的判断。父母、兄弟姐妹、男女朋友、老师和教练,都对你下过判语,说你是好是坏,有用没用,有无前途。我们筛选这些判语,努力忘掉一些,但很难涂抹干净。肯定的话语,在人心上留的印记很浅,也不持久,远远不如批评和定罪的话语。我们可能已经被别人的话伤害了——这些话已经留下不可磨灭的印记。所以,自我形象有许多不同的层次,并且很多是相互矛盾的。自我观念通常是一团乱麻,并没有一个统一的主题。如果人的自我形象是可见的,它可能看上去会像怪物弗兰肯斯坦(Frankenstein),身体由各种稀奇古怪的器官缝合而成。

然而,对我们伤害最大的话语,可能来自于我们自己。很多人有一种自我对话的习惯,他们不停地在心里痛斥自己笨蛋、愚蠢、没用、失败。

但现在，一位很重要的人物进入你的生命，此人能推翻多年积累的对你的一切判语，不论这些判语来自别人还是来自你自己。[6] 婚姻赋予你的配偶一种强大的力量，对方可以重新塑造你的自我形象。不管别人说过你什么话，对方都可以推翻，从而在很大程度上救赎过往的时光。你配偶的爱和赞许具有神奇的力量，可以医治你内心深处许多伤口。为什么？如果全世界都说你丑，但你配偶说你美，你就觉得自己美。借用圣经的话，你的心可能责备你，但配偶的观点比你的心更强大。

我必须承认，我这辈子从来没觉得自己“很男人”，直到我结了婚。我小时候是个书呆子，而那时候书呆子还不被人看好。我在仪仗队吹号，而且整个高中都呆在童子军。当然这些都是好事，可一点也不酷，也不帅。我经常被人嘲笑和排斥，特别是在高中期间，就因为不够酷。但在凯西眼里，我是穿着闪闪发光的铠甲的白马王子。她那时候总说，尽管全世界视我为克拉克・肯特(Clark Kent)，但她知道我里面穿了蓝色紧身衣。她到现在还说这话。如果我做了什么勇敢的事，她总是第一个指出来，表扬我。多年来，一点一点地，她的话起了作用。在我妻子看来，我就是超人，这让我感觉自己特别男人。

婚姻的亲密性使婚姻具有“真理的力量”，也同样使婚姻具有“爱的力量”。也就是说，因为婚姻使两个生命融合，并且带领你们进入最亲密的接触，所以配偶的正面评估具有最大的可信度。如果一个不太了解我的人来对我说:“你是我认识的最好的人”,我当然会觉得又受用又愉快。但这话对我有多大影响呢?没什么影响。为什么呢?因为我心里说:“呵呵,这人真好,可他并不了解我。”但是,如果我妻子和我同住多年之后,对我说:“你是我认识的最好的人”,这话我就能听进去。她的赞许让我深受安慰。为什么?因为她了解我超过任何人。而且,多年之后,你越爱你的配偶,越尊重对方,那么对方的赞许就越强大,疗效就越神奇。正如《魔戒:双塔奇兵》中法拉米尔对山姆所说的:“一个配得赞美的人对你的赞美超过一切奖赏。”一个你非常尊重的人也非常尊重你,这是世界上最棒的事。

这个原则也说明,知道宇宙的主宰爱你,这是任何人类所能拥有的最坚固的情感基础。更深地认识神在基督里对人的爱,这是人所能得到的最高奖赏。并且,我们要记得伊甸园里的亚当。尽管亚当与神有完美的关系,但其人性的关系性质也是为人类之爱所设计的。你配偶对你的爱和基督对你的爱并不矛盾,它们在你的生命中密切配合,一同对你产生强大的影响。

婚姻中的爱具有神奇的医治力量,这种爱是耶稣基督大爱的缩影。在基督里,神看我们为公义、圣洁、美好(林后5:21)。世界告诉我们有什么缺点,而且我们知道自己确实如此,但神对我们的爱遮盖了我们的罪,并且继续恩待我们如同无罪的基督。所以,耶稣可以除去别人关于你或对你所说的一切话带给你的影响。在基督徒的婚姻里，你所经历的配偶之爱，就是基督救赎大爱的缩影。有时候，配偶直接将你引向耶稣的爱。有时候，配偶对你的赞许乃是效法耶稣的爱，并督促我们更加完全地相信和接受我们在基督里的爱。

所以，婚姻远胜过其他任何人类关系，它具有独一无二的力量，可以医治一切伤痛，让我们相信自己具有独特的美和价值。

爱我——不，你爱“我”

我们如何把这种医治生命的爱给予配偶，让对方真正感觉被爱呢？这是一个非常关键的主题，也是非常重要的技能。我先举例子，然后再讲原则。

在凯西家里，父亲常帮母亲干活。他每天干很多家务事，包括照顾孩子和喂孩子。但在我家，我母亲从来不让我父亲干那么多家务事，更不会让他帮孩子穿衣服吃饭。我们结婚的时候并没意识到家庭背景有这些差异，尽管有件事本来应该引起警觉。

有一次我去凯西家看她，和她的家人在厨房吃饭。吃完饭以后，我就站起来，走了出去。我未来的岳母惊呆了。在凯西家里，每个人都得帮忙收拾，至少每个人都得把盘子、刀叉、杯子还有桌上自己附近的东西拿到洗碗槽或放进冰箱。她看到我毫无表示，就对凯西小声嘟囔些什么，大概意思是我需要别人伺候。但在我家里，我母亲肯定不会这样想，哪怕是家里人——更别说是客人——帮忙洗碗，她也不乐意。那是她的工作——她喜欢服侍人，包揽所有事情，让别人轻省。

这种家庭背景的差异开始时并没有显露出来，直到我们第一个孩子出生为止。记得有一天我坐在沙发上，怀里抱着大卫，凯西在厨房里干活。这时候，我闻到一股异味，就说："凯西，该换尿布了。"

凯西说："你知道我们家里会怎么说？"

"怎么说？"

"谁看见就是谁的事！"她笑着说。意思就是，"别指望我，我很忙。你抱着孩子，你换尿布。"

但我很生气。我觉得——当时只是感觉，我还不太明白整件事——她不尊重我。换尿布不是我的工作。而由于我不让步，又轮到凯西生气了。"拜托，只是换块脏尿布而已。你忙还是我忙？"她说。我们那天没有解决问题，因为我们不明白这到底是怎么回事。照顾孩子，尤其是换又脏又臭的尿布，成了我们很长一段时间的矛盾焦点，直到我们开始理解我们心里基本的动因。

凯西的母亲在四十多岁的时候就中风了，她父亲得接手很多家务事。而我父母那一代人，一般是父亲出去忙工作，母亲在家做杂事，所以凯西家的做法是很少见的。她母亲对此很感恩，并且赞赏丈夫的爱和谦卑。凯西听见母亲说："我丈夫很爱我，他帮我干活，照顾孩子。"然而，在我家里，我母亲从来不让我父亲干这些杂事。我都不敢说他见过脏尿布里面的样子。他工作时间很长，而且回家经常都很累。我母亲感激他辛勤养家，觉得自己只有一个办法可以像丈夫一样为家庭作贡献，那就是让丈夫在家里绝对省心。而且我听见母亲说："我爱你父亲，他拼命工作养全家人，所以他在家的时候，我不让他干活。这些事我全包了。"

我们各自家庭的差异不仅仅是家庭劳动分工的区别。这是所谓"爱的通币"的区别。凯西的父亲话不多；他不善于言谈。但他向妻子表达爱的方式，正是她所需要的，并且她知道他为此付出了代价。这种表达的价值，远远胜过鲜花和珠宝。她深深为此而感动，并且感到自己被爱。反过来，我父亲工作了很长时间回到家之后，本来完全可能娶到一个爱唠叨的妻子，不停地抱怨自己照料孩子有多累。但我母亲毫无怨言，这让我父亲非常感恩，觉得自己好像城堡里的国王。

我们已经在各自的家庭里看到"爱的通币"的这些模式，并且这些模式已经成为我们下意识的想法。这就是为什么我们总是在争"家里到底该谁换尿布"这种事。我们在开始的时候觉得很不可思议。看上去是很简单的问题，为什么我们会这么生气呢？

最后，我们明白了：当凯西让我给儿子换尿布的时候，我听见她说她不爱我，我听见她说她认为我工作没那么累。而当我让她换尿布的时候，她听见我说这是女人的活儿，不是什么重要的事。简而言之，在内心的某个层面上，凯西其实在说："要是你爱我像我父亲爱我母亲那样，你就会换尿布。"而我在心里说："要是你爱我像我母亲爱我父亲那样，你就会换尿布。"我们双方都听见对方说"我不爱你"，因为我们都没有以自己想要的方式得到爱。

后来发生了什么？我们看到了问题，并且在这件事上，是我做出改变，因为我不愿意像很多男人那样把工作和带孩子对立起来。但教训是难忘的。光说"我爱你"是不够的。按照你习惯的方式给予爱，也是不够的。如果你想给别人一百块钱，有不同的办法。你可以给现金，给支票，给金子，或给其他东西。你也可以给他不同面额的钞票。同样，你可以学着用配偶最需要的方式付出爱，就是对方认为最有情感价值、最受感动的方式。只有这样，才能把婚姻当中爱的伟大力量带入配偶的生活，重塑人生，医治伤痛。[7]

爱的通币

这里所说的"爱的通币"，又叫"爱的语言"。"爱的语言"这个说法很有道理。如果我们对某个不懂英文的人说"I love you"，那就行不通。我们发出爱的信号，但对方没收到。我们必须学会用正确的方式表达爱，让对方能够理解。

我再讲一个比喻。电台以某个频率发出广播信号，但如果收音机调到另一个频率，就收不到信号。同样，丈夫可能用非常感性和浪漫的方式发出“我爱你”的信息，但妻子的收音机可能没有调到这个频率。她想把令她感到不痛快的事告诉他，但他却不用心听。她非常需要一个懂她的倾听者，但他没耐心听，老是大大咧咧地给一个简单的建议。所以她对丈夫说：“我觉得你不爱我！”他反驳说：“我真的爱你！”为什么会有这样的分歧呢？他发出爱的信号，但她没有调到他的频道。这就是为什么婚姻里的爱常常会落空。

爱有许多不同的表达方式。你可以送礼物；大声说“我爱你”；由衷的赞美；身体的浪漫和温存；满足爱人的愿望；一起花时间专心做某件事。这只是几个简单的例子。千百年以来，思想家分辨出爱的各种形式。希腊人用不同的词来分辨怜爱（*storge*）、友爱（*philos*）、性爱（*eros*）和圣爱（*agape*）。还有其他方式来区分各种爱的表达形式，将其纳入不同范畴。所有这些爱的形式都是必要的，一个也不能忽略，但我们觉得某些形式对自己更有情感价值。这些形式就是我们认为特别宝贵的爱的通币，是一种特殊的语言，可以最有效地把爱的信息送到我们心里。某些形式的爱，当我们收到的时候，会让我们感到特别陶醉，特别满足。

为什么呢？有时候，爱的某种形式特别有价值，那是因为你生命中某个重要的人在这方面特别笨拙，或是因为你生命中某个重要的人在这方面特别擅长。某种形式现在特别重要,也许是因为你当前的生活环境所致。无论如何,爱的某些形式能特别感动你。如果谁想给你爱,就得了解这些形式,并且用这些形式来表达爱。

我们应当迁就配偶,因为神先迁就了我们。摩西求神显出荣耀给他看,当时,神说摩西不能看,看了必死。但在《约翰福音》里,我们读到,神取了人的形状来到世上,所以在耶稣里"我们见过他的荣光,正是从父而来的独生子的荣光","住在我们中间,满有恩典和真理。"(约 1:14)这真是太奇妙了。神用我们可以明白的方式来向我们显现荣耀——他取了人的形状。神道成肉身来俯就我们,好让我们认识他。所以,我们也要以恩典为爱的装饰,用配偶可以明白的方式来表达爱意。我们必须通过配偶需要的途径来传达爱。下面是几条实际的指导原则。

首先,要认识到你可能戴了一个"过滤器"。你倾向于只听见某些种类的爱语。例如,你的配偶可能在努力工作,为你提供物质条件,但你希望他更善于言辞。你说"他不爱我",因为他没用你所看重的语言来传递爱。你必须摘掉这个过滤器,去发现配偶给你的爱。

神学家斯普罗(R. C. Sproul)有一次给我们讲了一个故事,故事主角是他和妻子维斯塔。这个故事说明了这个原则:"我想要的生日礼物很贵,我不会为自己去买。我想要新的高尔夫球杆。而维斯塔是一个很实际的人,她知道我需要新衬衣。所以她为我买了六件漂亮的白衬衣。我努力掩饰心里的失望之情。”然而，到了维斯塔的生日，他的礼物也好不到哪里去。他想送她一件奢侈品，就买了一件毛皮大衣，却没有意识到她真正想要的是新洗衣机和电吹风。他们都在努力向对方表达爱，但他们都在用自己的语言讲“我爱你”。

回忆一下，哪次冲突不是“爱的语言”的冲突？它可以软化你们的态度，改变你们的策略。你们也许像凯西和我一样，常常围绕“谁负责照顾孩子”发生棘手的冲突。丈夫或许在想(像我一样)，“要是你像我母亲爱我父亲一样，就不会让我换尿布。”而妻子可能在想(像凯西一样)，“要是你爱我像我父亲爱我母亲一样，你就会主动帮我做家务。”两个人都不应该站在自己的立场，抱怨对方太自私，而应该换位思考：是不是对方没有感受到自己被爱呢？

要学会配偶最主要的爱的语言，并且通过对方的频道发送爱的信号，而非通过你自己的频道。可是我们总想用我们喜欢接收的频道来传递爱。

别忘了，错误的爱语可能适得其反。例如，如果你送给某人一份物质大礼，而对方是一个重视精神的人，她可能会说：“别想用这种东西收买我！”

永远别糟蹋对方最主要的爱的语言。永远别故意去伤人，这种伤害是很深的。一个非常希望妻子在公众场合尊重他的男人，无法接受妻子当着朋友的面嘲笑他。一个需要很多赞美的女人，丈夫的冷漠会让她崩溃。

从坠入爱河到经营爱情

我们已经多次讲到恋爱早期的幸福体验会逐渐消退，带我们回到现实。这时候，我们如何安然度过危机，进入“长期稳定、刻意选择、相濡以沫”的阶段呢？

作家查普曼从婚姻辅导经验中选择了一个案例，很好地回答了这个问题。[8]

贝基来见辅导员，哭着说自己的丈夫布伦特要离开她。布伦特后来应妻子的请求来见这位辅导员，但他说：“我就是不再爱她了。我不想伤害她，而且我也不希望婚姻破裂。可是我对她再也没有感觉了。”最开始，布伦特和贝基的爱也很热烈。但婚礼之后的几个月里，两个人都开始发现对方的缺点，而且自己的感觉也冷淡了。在布伦特这边，爱的感觉飞快下滑，后来干脆消失得无影无踪。现在，他说他想离开她。他承认自己已经和其他人交往了几个月。他说如果没有这个新交往的女人他就不能活，而且他已经下定决心离婚。

辅导员进一步请他换一个角度看问题。他说，多数婚姻一开始的时候，双方相爱的程度都很高，在这段时间，双方都觉得对方非常爱自己，哪怕对方什么都没做。但最终，这种陶醉感会逐渐消退，然后，爱情必须变成一种刻意的选择。他对布伦特说：

[那种陶醉感消退之后]如果我们的配偶已经学会使用我们的爱语，我们对爱的需求就能得到持续满足。反过来，如果对方不说我们的爱语，我们情感的水箱就会慢慢排干，我们就会觉得对方不爱我们。满足这种持续的需要，必定是一种刻意的选择。如果我学会配偶表达情绪的爱语，并且常常说这种语言……那么，等她从热恋体验的执着中逐渐冷静下来，她就不会觉得痛苦，甚至很少去回味当初的美好，因为她情感需求的水箱持续得到补充。然而，如果我没有学会她的爱语或故意不讲，一旦她从情绪的高峰下来，她就自然而然地会有一种渴望，因为情绪的需求没有得到满足。和一个干涸的爱情水箱同住多年之后，她很可能爱上别人，并且注定重蹈覆辙。[9]

布伦特不为所动。他不相信这场新的恋爱体验会与他和贝基的关系有什么不同。这次是“真爱”，是可以长久的爱。他礼貌地感谢辅导员的关心，说愿意尽己所能帮助贝基。但他去意已决。

几个星期之后，布伦特打来电话，想约见辅导员。他来的时候，显然心情很不好——不再是上次那个情绪稳定而自信的男人。他说，这位新爱似乎变了个人。她开始批评他性格中的很多问题，而这些问题，贝基也对他讲过，但她比贝基更加刻薄，更加生气。显然，他们结束了。

辅导员重新讲了爱情的范式——最初，爱情是不由自主的，让人神魂颠倒；但最终，爱情是刻意的选择。这种做法开始的时候看似不自然，但辅导员重申，如果双方一起努力，丰富的、深刻的被爱体验最终会使他们生活美满。布伦特说他愿意试试，差不多一年之后，他和贝基破镜重圆。

这个例子并非告诉我们，只要我们去分辨爱的语言，并且按照最合宜的方式提供爱，就可以解决一切婚姻问题。我们不应该这样想。人心是无比复杂的（耶 17:9）。婚姻的难题可能有许多源头，例如各种根深蒂固的偶像崇拜，无意识的愤怒，以及不必要的恐惧感，这种恐惧感需要通过心理辅导和神的恩典得到根除。然而，努力、刻意地去认识你的配偶并且爱对方，这是任何美满婚姻的基础。当代西方文化认为，爱主要是不由自主的感觉，而非下定决心的行动，所以很多人完全无法掌握这种基础技能。

爱　意

让我们来列一个清单，看看有哪些不同种类的爱语。[10] 阅读清单可以帮助我们思考。如果你们一起读这些内容，你的配偶可能会说："要是你每周为我做那件事，我们的婚姻就会不一样了！"这就上路了。

这个清单的第一大项是爱意。给予爱，可以通过眼目传情、爱抚、依偎、牵手。这些事情千万不能仅仅成为性爱的预备工作,否则就会失去诚意。表达爱,也可以通过创造其他机会,让两人可以更关注对方。可以计划散步、坐在火炉前聊天、开车到野外看风景和野餐。即使是努力安排这些事情,也是爱的重要标志和表达方式。同样,我们也可以改善自己的外表,当作礼物送给配偶。开心玩耍也可以创造良好气氛,促进情感交流。

爱应当用语言表达。光说"我当然爱你"是不够的,我们必须学会用直接的、个人的、特定的、保鲜的方式来传递爱的信息。要注意分辨配偶的长处和恩赐,诚恳地赞美、欣赏和感谢对方。这种爱语的另一面是避免粗暴和挑剔的语言。不仅要通过语言表达爱,还要通过小纸条、卡片、书信,细心地安排特殊节日,例如各种纪念日。

最后,还可以通过送给对方贴心的、个人的、实用的、美好的礼物表达爱意。

友　谊

前面讲过,友谊是婚姻的前提,这种形式的爱有其特定的表达范围。培养友谊有许多方式,例如共同度过宝贵的时间。这意味着做一件你们喜欢做(至少一个人喜欢)的事,而你们做这件事的时候就可以沟通感情。很多人立刻想到娱乐,没错,但其他普通工作——例如园艺——也可以加强你们的情感纽带。最主要的是,要让你的配偶觉得:和对方在一起是你生活中的大事。

友谊也可以通过其他方式表达，例如在配偶的工作领域表达你坚定不移的支持，你对配偶的工作有兴趣，你为配偶的工作感到自豪。如果双方都有自己的事业，友谊意味着学习和欣赏对方的工作。如果妻子在家照顾孩子，操持家务，丈夫就应该帮助妻子，让房子变成温馨的家和港湾，他应当投入情感并且表现出浓厚的兴趣。

另一种表达爱的方式就是分享彼此的精神世界。一起读书（甚至可以大声朗读），一起讨论思想的变化，一起研究某个课题——这些都可以。

最后，友谊的表达和增长是靠聆听对方和敞开自己。友谊首先是一种安全的关系，觉得可以和对方安全地分享自己的恐惧、伤害和弱点——友谊是一个情感的避难所。聆听需要专注。有些人很善于聆听，却不善于敞开自己，反之亦然。建立信任，还要靠言出必行，为人可靠。

服　　侍

从最实际、最微不足道的事情开始彼此服侍。如果平时照顾孩子和打扫卫生多是、甚至全是妻子的事，那丈夫就尽可能多地做点家务。例如，开心地为孩子换尿布，主动帮忙打扫房间。

服侍配偶也意味着尊重。服侍意味着让配偶相信，你会永远接纳对方,永远支持对方,意味着你会在其他家人和朋友面前表现你对配偶的忠贞和欣赏。

服侍配偶也意味着表达你要努力让对方过得好,过得幸福。当你努力帮助配偶培养各种恩赐并追求属灵成长的时候,就是在付出这种爱。

爱的一个最伟大表达就是愿意改变自己,承诺改变自己让配偶感到不快的、伤人的态度和做法。必须有能力纠正错误,并且接受监督,采取实际行动做出改变。这种改变总是困难的,而且如果没有神的恩典,几乎是不可能的,但这是婚姻中最有力的爱的记号。

最后,基督徒夫妇彼此服侍的最佳途径,莫过于帮助彼此灵命成长,本书第 4 章已经讲过这一点。这意味着鼓励彼此积极参加教会活动,积极参与基督徒群体生活。这意味着一起学习圣经,一起阅读属灵书籍。这也意味着一起祷告。千百年来,基督徒夫妇使用各种各样的每日家庭祈祷文。

每天一起祷告,彼此代祷,这是一种奇妙的爱语,它可以把其他爱的语言一同带出来。它意味着彼此温柔相爱,坦诚相待。而且,你会听见配偶赞扬你,将你摆在神面前,求神赐福你。如果你们每天这样做或经常这样做,神的爱以及你们彼此的爱将为你们的整个关系增色添香。

上面所说的,绝非全部爱的语言或爱的通币。还有其他各种方式可以表达爱,例如允许对方有自己的空间,不论是短期还是长期，取决于情绪的需要。我们没有理由把配偶关在自己的生活之外，但不同的人有不同的能力和需要，有时候我们需要独处或关注外部兴趣点。这类清单帮助夫妻双方找到并讲明平时忽略的、很难用语言表述的需要。你面前的任务既艰巨又简单。要去学习配偶的爱的语言。一起找出这些需要，然后一起商量，找一些可以常常付出爱的具体办法，然后就去做。每周都要相濡以沫，刻意地、具体地付出爱。

最大的问题

我们已经看到，就本质而言，婚姻具有真理的力量和爱的力量。真理的力量让婚姻展现你的本相。爱的力量让婚姻重新安排你的自我形象，救赎过去，医治你最深的伤痛。现在，我要提出一个警告。

前面说过，如果大家都说你丑，配偶却说你好看，你就会觉得自己好看，因为配偶的话具有这种力量。但反过来也成立。如果大家都说你好看，配偶却说你丑，你就会觉得自己丑。配偶对你的看法可能变成一种可怕的武器。在婚姻早期，你会意识到你有多么大的力量可以伤害配偶。你比谁都清楚对方的痛处。而一句伤人的话从你口里出来，比任何刀都割得更深。

在这个堕落的世界，婚姻中真理的力量和爱的力量可能彼此相争。婚姻能让我看到我有什么问题，这是因为配偶能一眼把我看穿，而我却看不见自己。但问题就在这儿。我妻子了解我的罪，不像医生诊断疾病或辅导师所体会到我的愤怒和恐惧。她知道我的罪，是因为我常常得罪她。她知道我粗心冷淡，因为我对她不够关心。她知道我自私，因为我自私地对待她。

这就是婚姻最大的问题。全世界那个把你的心攥在手里的人、你最渴望最需要得到其赞扬和肯定的人，正是全世界那个被你的罪伤得最深的人。一旦配偶大大得罪我们，我们就运用真理的力量。我们告诉配偶，对方是白痴、蠢货、自私的猪。然而，我们刚开始这样做的时候，可能想不到我们的批评会造成多么大的破坏。有时候，我们破口大骂，说一些特别难听、特别伤人的话，然后发现配偶变得十分消沉，穿着睡衣只顾埋头抽烟喝酒。出了什么事？因为我们具有爱的力量和肯定的力量，若我们不运用这种力量，真理的话语就会失去益处，毁掉对方。

我们明白了真话的破坏性之后，可能走向另一个极端。我们可能会下决心只说好话。我们小心翼翼地避免告诉配偶我们多么失望。我们紧闭嘴巴。我们伪装自己，隐藏真实的想法和感受。我们使用爱的力量，不使用真理的力量。

但这样一来，婚姻就失去了帮助双方属灵成长的伟大潜力。如果我发现配偶对我不真诚，那她对我的赞许就会显得软弱无力，不能影响我的生命。只有当我知道配偶常常对我说实话时，她的赞许才能真正改变我。

要点在于：真理和爱必须并行，不可偏重，但做到这点非常难。我们受伤的时候，就只用真理的力量，没有爱。这种对抗的愤怒和痛苦可能导致另一种错误：只努力去爱却不讲真话，可是到了最后，双方都不觉得对方爱我。

我们需要二者紧密结合，彼此交织。我们需要感到伴侣非常爱我，甚至在他们批评我们的时候，我们也有足够的安全感可以承认缺点。然后，我们就可以认识和面对真实的自己，并且能够成长。我们在婚姻中应当这样，但常常却不是这样。为什么不是呢？因为当我们发现配偶缺点的时候，我们过于愤怒。我们很难在爱里讲真话，很难让真理和爱并行不悖。那该怎么办呢？

恩典的力量——和好

只有真理没有爱，会破坏合一；只有爱没有真理，徒有合一的假象，实际上却阻挡婚姻前进的脚步，让人停止成长。解决之道就是恩典。一旦我们经历了耶稣的恩典，就能在婚姻中运用两种最重要的人际关系技巧：饶恕和悔改。我们必须非常善于饶恕，并且非常善于悔改，真理和爱才能并用。

阿文·英格尔森是凯西和我多年前在神学院的同学，他把婚姻比作玉石研磨机。你把石头放到研磨机里，它们彼此摩擦，这种摩擦是建设性的、创造性的。它们把彼此的棱角磨掉，最后每块石头都变得又光滑又美丽。但是，如果你不把一种特殊的研磨混合剂和石头一起放进去，石头就会彼此弹开，起不到研磨的效果，甚至彼此伤害，导致碎裂。玉石研磨机里的混合剂就像神所赐婚姻里的恩典。如果没有恩典的力量，真理和爱就不能组合起来。配偶要么同时远离真理——相互逃避；要么彼此攻击——一起碎裂。

《马可福音》11:25 耶稣说，你们祷告的时候，若想起有人得罪你们，就应当立刻饶恕他。这是不是说你不应该向这个人提出意见？不，你应该去找他谈，因为耶稣在《马太福音》18 章（以及保罗在《加拉太书》6 章和其他地方）告诉基督徒，如果有人得罪了他们，他们应当去找这个人，当面指出他的罪。"等一下，"我们说。圣经说我们应该饶恕人，然后去找他们当面明说？是的！我们之所以对此感到惊讶，几乎总是因为我们找人面谈是一种报复的方式。我们说"找人谈谈"，实际上就是去报复的。他们让我们感觉不爽，我们现在也要让他们感觉不爽。但这种态度绝对是致命的错误。对方知道你心怀恶意，他要么受伤，要么愤怒，或二者兼有。你不是为了他们的益处而讲真理，而是为了自己；这种行为的结果就是忧伤、苦毒和绝望。

耶稣告诉我们解决的方法。他说，基督徒既然知道自己活着是靠神赦罪的恩典，他们就必须在心里赦免别人，然后再去找他们谈。如果你这样做，面谈的气氛就不同了。

换句话说，如果没有正确的“研磨混合剂”——生命中赦罪的恩典，你就会用真理去伤害别人。而别人则要么反击，要么撤退。你的婚姻就会进入“有理无爱”的模式，常常争吵，谁也不让谁；或是进入“有肤浅的爱却无真理”的模式，双方粉饰太平，逃避问题。

婚姻中的一个基本技能，就是能够直接地、不加掩饰地对配偶讲真话，告诉对方做了什么事情——然后完全地、毫不自义地、喜乐地表达饶恕，而且不会让对方感觉你有丝毫的优越感，不会让对方感觉自己渺小。这并不意味着你不能表达愤怒。实际上，如果你从未表达过愤怒，你讲真话恐怕也没用。但你必须有饶恕的恩典，它就好像肉里的盐，可以让愤怒不至于变成坏事。这样，真理和爱就可以共存，因为在它们之下，你已经饶恕了对方，正如基督已经饶恕了你。

我们如何才能得到恩典的力量呢？首先需要谦卑。如果你不能饶恕别人，至少部分是因为你内心深处在想，“我永远不会像这个人那样！”只要你觉得自己比别人强，比别人良善，你就会觉得无法饶恕别人。如果你一直高高在上，看不起别人，真理迟早会吞噬爱。你只会批评别人，而且不是以别人可以接受的方式批评。你会变得过于轻蔑和粗暴。

但是，凭爱心说诚实话，不仅需要“情感的谦卑”，还要有“情感的财富”，这是一种根基牢固的内在喜乐和信心。

如果你自我评价太低，如果你厌弃自己，那么你就总是需要配偶说喜欢你，配偶对你的看法就会变得过于重要。你就会无法忍受配偶对你感到不悦，而那就意味着你将无法批评对方，也无法告诉对方你受了伤害。你将无法对抗并且饶恕对方。你将暗自怨恨，并竭力隐藏，无法开诚布公。你将只能表示认同，你将无法提出反对意见。这样一来，爱心就吞噬了真理。

因此，我们可以看到：正确地运用真理的力量和爱的力量，就是按照能够改变生命的、整体的、平衡的方式来运用这两股力量，这需要深刻的谦卑，还需要深刻的喜乐和信心。在哪儿能找到这些东西呢？答案就是，在这个世界之外。如果没有外来的帮助，我们堕落的人性根本不能制造这样美好的组合。如果没有经历神的恩典，那些感觉自己生活成功的人只会信心满满，不会在失败者面前谦卑自己。那些感觉自己生活失败的人只会垂头丧气，不会有信心和喜乐。

但是，福音转变我们，我们的自我认识从此有了一个全然不同的基础，我们不再依据自己的生活表现来评价自己。我们如此邪恶、有罪、残缺不全，耶稣必须为我们死。我们如此失丧，神儿子必须死，我们才能得救。神如此爱我们，如此宝贵我们，他甚至乐意为我们而死。宇宙的主爱我们到如此地步！所以，福音贬低我们至尘土之中；与此同时，福音又抬举我们至高天之上。我们是罪人，与此同时，我们又在基督里得到爱和接纳。

你如何才能得到恩典的力量？这股力量不能无中生有。受之于神，然后才能施之于人。如果你看到耶稣在十字架上为别人而死，看到他如何赦免那些杀害他的人，那么，他只是一个伟大的道德典范。耶稣仁爱的榜样会粉碎你的自以为是，你将看到什么是极致的爱，意识到自己永远无法活出如此伟大的爱。然而，如果你更加深入地看到耶稣是为你而钉死在十字架上，他饶恕了你，洗净了你的罪，那你的感受就不一样了。他看穿你心底深处，却仍爱你到九霄之上。一旦你认识基督，神子为你所做的事就会让你感到无比喜乐和自由，你也能为配偶做同样的事。这让你在情绪上既谦卑又富足，可以去运用恩典的力量。

终极的力量

婚姻有独特的力量让我们认识真实的自己。婚姻有独特的力量救赎我们的过往，并通过爱来医治我们的自我形象。婚姻有独特的力量让我们看到神莫大的恩典，可以在耶稣基督里认识神为我们所成就的大事。在《以弗所书》5章，保罗告诉我们，耶稣为我们舍命，以极重的代价赦免了我们，使我们成为美好。并且，因他为我们牺牲，我们也能为别人牺牲。

我们所犯的罪对耶稣的伤害，大大超过你的配偶对你的伤害。你可能觉得对方在折磨你，但我们的罪实实在在地把耶稣钉死在十字架上，耶稣却赦免了我们。

有这样一个故事：从前，俄国沙皇所信任的一位将军受了重伤，生命垂危。将军临终之际向沙皇托孤。将军死后，沙皇信守诺言，为那个孩子提供最好的生活条件，让他接受最好的教育。他按时领补贴，后来又入伍当兵。然而，这个年轻人染上了赌瘾。因为还不上赌债，就开始偷拿军饷。一天晚上，他坐在帐篷里，翻开账本发现事已败露，不能再搪塞会计。他坐在那儿猛给自己灌酒，准备结束生命。他顺手把左轮手枪放在身边，又喝了几口酒想给自己壮胆。但他不胜酒力，趴在桌上不省人事。

当晚，沙皇像平常一样微服出行，巡视军营。他想听听士兵真实的心声，看看军队士气如何。他走进养子的帐篷，发现他蜷在账本旁边。他拿起账本一看就知道出了什么事，明白这个年轻人准备干什么。

过了几小时，年轻人醒了，惊奇地发现手枪不见了。然后，他看到身边有一封信。真没想到，那是一纸承诺，上面写道："我，沙皇，愿用自己的钱弥补这本账的差额。"还盖上沙皇的御印。沙皇非常清楚这个年轻人所犯的罪，但沙皇亲自遮盖了他的罪，并为此付了代价。

同样，你也可以对伤害你的配偶说："我看到你的罪，但我可以用饶恕遮盖它，因为耶稣看见了我的罪并遮盖了它。"因为宇宙的主在耶稣基督的位格中乔装进入这个世界，他鉴察我们的内心，看到我们最污秽的一面。并且，对耶稣来说，这并不是什么象征性的举动——我们的罪将他置于死地。当耶稣在十字架上被举起的时候，他低头俯视，看见我们每一个人：有的不认他，有的出卖他，众人都弃绝他。而他做出全世界历史上最伟大的爱的举动：他留下来。他没有离开我们，他继续爱我们。他看见我们的罪，并遮盖我们的罪。

我不知道有什么比基督的十字架更能让我们学会饶恕，也不知道在婚姻中有什么比真正的饶恕更不可或缺：由衷地、完全地、没有条件地、不加惩罚地饶恕对方。深刻地经历神的恩典——知道自己是蒙恩得救的罪人——能让真理的力量和爱的力量同时运行于婚姻。

并且，一旦你按照恩典和知识（对耶稣基督恩典的认识）来运用这种力量，就可以帮助配偶变成新造的人，反映出神的荣耀。

凯西和我有一张照片，是在婚礼上拍的，挂在卧室墙上，至今已有三十六年。当年，我们的外表比现在好看多了。我那时候还有头发，而且，请容我说，我们那时候可比现在光鲜亮丽多了。每当我为新人证婚完毕，看着新娘和新郎站在那儿光彩照人，我常常想开玩笑说："你们俩看上去真不错，但从此以后就是一路下坡了。以后再没这么好看了。"

但这句话归根结底是错的。如果你和配偶在彼此的生命中运用真理和爱的力量以及神的恩典，就会越来越好看。如果你们献上自己，在这条属灵的道路上携手同行，神会一路塑造你们，让你们渐渐成为新造的人。然后，在神的眼中，随着时光流逝，你们让彼此变得越来越美，如同璀璨的钻石经过切割，抛光，又镶嵌妥当。

所以，我们并不沮丧，我们外面的人虽然渐渐朽坏，但里面的人却日日更新，因为我们短暂轻微的患难，是要为我们成就极大无比、永远的荣耀。我们所顾念的，不是看得见的，而是看不见的；因为看得见的是暂时的，看不见的是永远的。（林后 4：16—18）

具有属灵眼光的夫妇，可以透过对方的外表，看见神所见之美，并因此而快乐。世人看我们渐渐老去，但我们借助婚姻在耶稣基督恩典中的力量，发现对方越来越动人，那是超乎肉体的属灵之美。我们彼此遮盖，彼此洁净，彼此装饰。并且有一天，全世界都会看见神所见我们里面的美。

我们在结婚的日子应当对彼此说："你今天看上去很美，但有一天，你要变得更加光彩夺目：就是我们一起站在神面前的那一天。与之相比，今天的华服不过是褴褛。"

第6章 拥抱“他者”

你们作妻子的，要顺服自己的丈夫，好像顺服主一样。因为丈夫是妻子的头，好像基督是教会的头。基督又是教会全体的救主。你们作丈夫的，要爱妻子，好像基督爱教会，为教会舍己。

《以弗所书》5:22—23,25

尽管提姆和我（凯西）合作写整本书，但我们俩都觉得我应该用女性的声音独立写这一章，因为我对于男女性别角色差异这个问题有更多直接经验，我不仅经常谈论这方面的话题，而且亲身体验了这种差异所带来的各种困扰。当然，由于受到《创世记》里的咒诅影响，各种人类文化都用压制女性的方式来解释“男性为首”的道理，而且往往是女性首先意识到并且反对这种待遇。

不管你自认为是男女平等主义者、女权主义者、传统主义者、互补主义者，还是持其他论点，你都会承认男女之间的各种差异是每个婚姻当中不可回避的议题。不接受这些差异，无异于掩耳盗铃。每个人都带着“性别角色”的观念进入婚姻——丈夫应当如何待妻子，妻子应当如何待丈夫，儿女应当如何待父母。这些观念可能来自以往的种种印象，这些印象来自原生家庭、当代文化范式、对朋友婚姻生活的观察思考，甚至是读小说、看电视电影所留下的记忆残片。

不容否认，性别角色问题是一个容易引起争议的问题。我本人已经在这场争议的核心地带生活了四十多年。我看到圣经上的话被人当作武器利用，既用于镇压，又用于反抗。我还看到一旦家庭效法耶稣，正确理解“丈夫作头”和“妻子顺服”这些热门词语，伤害就得到医治，爱情之树就枝繁叶茂。

提姆和我刚结婚那会儿，根本没有想清楚自己应当如何在现实生活的关系中扮演各自的性别角色。实际上，虽然我们上神学院时在神学层面上就此问题进行了许多重要对话，但是，等到我们来到新教会的第一天早上，提姆拿起手提箱，和我吻别，“出门上班”，这时候，我完全手足无措。我记得自己站在厨房里，心想：“好了，还有一整天呢，我该做什么呢?”在那之前，我和提姆差不多住在一个不分男女的世界里，我们是同样的学生身份，上同样的课，在同样级别的竞技场上比赛，很少去想神为什么把我们分别造成男人和女人。突然之间，我得结合实际生活并且按照圣经来思考自己作为女性和妻子的角色。

尽管提姆和我时常笨手笨脚，找不着方向，但我们发现，一旦我们顺服自己的性别角色，就是神为我们所指定的性别角色，这时，我们就得到神的一个伟大礼物，它让我们保持深刻的自我，又得以进入宇宙的和谐之舞。而且，我不需要培养对百褶裙的品味，提姆也不用会修车。根本用不着这些。智慧的人，不可能把朋友真心诚意的礼物拒之门外，连一眼也不看。所以，即便你不喜欢基督教“神设定男女在婚姻中角色不同”的观念，即便你不接受这点，我们也希望你不要急于下结论，先读一下这章内容，思考神的这种安排对我们有何益处。[1]

起　初

要讨论性别角色如何在婚姻中发挥作用，必须首先来认识神最初的美意，认识男人和女人如何破坏了这种美好，认识耶稣如何救赎了性别角色；只有明白了这些基本道理，我们才能继续讨论“权威”、“妻子顺服”、“丈夫作头”、“帮手”这些容易引发误会的概念。

圣经第一次提到人类本身时，也第一次提到了性别。[2] “神照着自己的形象创造人，他所创造的有男有女。”(创 1:27)这意味着，我们的男人身份和女人身份不是次生的因素，而是人性的本质。神并非将我们造成一种通用人类，后来分化为两性；不是，神从一开始就把我们造成男性或女性。我们体内每个细胞都标明为 XX 或 XY。这意味着：如果我故意无视神的设计，如果我轻视他给我的用来完成天命的这些性别恩赐，那我就不能理解我自己。后现代主义认为，性别纯粹是“社会构建”；如果这种观点是正确的，那么我们就可以随心所欲，只要自己觉得好就行。然而，如果我们的性别是我们本质的核心，那么，一旦我们放弃自己独特的男性角色和女性角色，我们就会迷失自我。

与此同时，《创世记》让我们看到，男人和女人都是被造的，是绝对平等的。男女同样按神的形象所造，同样蒙福，共同“治理”全地。也就是说，男人和女人一起参与文化使命，一起执行文化使命，建立文明，建设文化。男人和女人都蒙召研究科学，从事艺术，建造家庭和人类群体。[3]

神把我们造为男人和女人之后，立刻告诉我们要“生养众多”，还要“充满这地”。神在这里给人类自我繁衍的使命，这个使命反映了他自己无穷无尽、赋予生命的创造力。但是，这种创造人类生命的美好恩赐，必须连合异性才能运用。男性和女性都不具备繁殖所必需的全部特征——我们只有彼此补足，彼此连合，才能繁衍生命。这些经文说明：

尽管不同的性别在尊严和价值上是平等的，但又是彼此需要、彼此补足的。

神看见亚当独居，没有伴侣，便说："那人独居不好。"[4] 这是神在宇宙中第一次看到缺陷。亚当是夏娃身体的源头，而神让亚当为她命名。《创世记》叙事中的这些要素，为后来新约"丈夫作头"的话语奠定了基础。[5] 然而，尽管神把这样的权柄给了男人，但出人意料，圣经并没有说女人低男人一等。圣经说，夏娃是亚当的"帮手"，是"和他相配"的(参创 2:18)。

英文圣经用"helper"(帮手)翻译希伯来文的 *'ezer*，这并不太妥帖。"helper"给人的感觉仅仅是帮别人打下手，别人自己也能完成任务。但圣经却几乎总是用 *'ezer* 这个词来描述神的作为。有时候也用来描述军事援助，例如增援部队，如果没有它，就要打败仗。所以，"帮助"某人，就是用你的力量去补足别人所没有的。[6] 女性应当成为"有力的帮助者"。

"适合"(suitable)这个词在英文圣经里也翻译得不妥。原文是一个词组，直译是"像他又与他相对"(like opposite him)。[7]《创世记》2 章的整个叙述过程(男人身体的一部分被取走，用来创造女人)，强烈暗示男人和女人若缺了对方都是不完整的。[8]

男性和女性好像对方的"反面"。他们如同彼此适合的两片拼图，他们并不完全一样，也不是根本不同，他们的差异使他们可以一起创造出一个完整的新人。每种性别都是恩赐,是同一支伟大舞蹈当中不同的舞步。

《创世记》3章描述了人类的堕落,男人和女人都得罪了神,被逐出伊甸园。我们立刻看到男性和女性的合一关系发生了灾难性变化。人与人之间的关系,开始变得气氛紧张、支离破碎:推卸责任、互相指控。[9]“另一方”不再是彼此补足的源头,反而变成压迫和剥削的场所。女人仍然倚赖丈夫,恋慕丈夫,但这种恋慕已经不是美好的爱情,而是拜偶像的邪恶欲望,而男人对妻子的保护和爱,则变成了自私的欲望和无尽的剥削。

三位一体之舞

在耶稣基督的位格和工作里,我们看见两性之间原本的合一和爱得到恢复。耶稣提升并强调女性的平等地位:女性和男性一样,都承载了神的形象,一同执行创世的使命;[10]并且耶稣也救赎了男人和女人的性别角色,就是神最初放在他们里面的角色:仆人式领袖和 *'ezer* 式助手。

在《腓立比书》2:5—11[11],我们看到教会献给耶稣的最早的赞美诗。这首诗说,虽然耶稣与神同等,却倒空自己的荣耀,甘心成为仆人的样式。耶稣放弃了神的特权,却并未牺牲他的神性,并且他接受了最顺服的仆人角色——服侍主人至死。在这段经文里,我们看到,三一神的第一位和第二位在本质上是平等的，然而圣子甘愿顺服圣父，好叫我们可以得救。我想强调一点，耶稣接受这个角色，完全是心甘情愿的，是献给父的礼物。我在这里发现，在婚姻里的顺服也是我乐意献上的礼物，而不是强制性义务。

在我个人觉得难以理解性别角色中的平等问题时，正是这段经文帮助我认识到女性的从属角色并不是那么痛苦不堪的事。如果五十年代的小孩有谁是被教成“中性”的，那非我家几个姐妹莫属。我母亲是她朋友中唯一读过大学的。我从小就没想过自己是否和男孩平等——除了洗手间，我根本没想过世界应该有男妇之别。所以，整个女权主义运动让我觉得相当震惊。我心里想，怎么，难道还有女人遭到虐待、剥削、排挤、生来就低男人一等？女权主义运动提出的药方让我发现自己多么无知，竟然没有意识到这种病症存在。

然而，当我第一次听见基督徒说男性和女性“不同但平等”时，我感觉这话太耳熟了，就和种族隔绝的口号一样：“分开但平等”。所以，第一次看到“男人作头”和“女人顺服”这种说法，对我的知识和伦理观念都是一次严重打击。但是，幸亏我遇到一些很好的老师，他们带领我阅读《腓立比书》2 章的经文，然后我就明白了。既然三一神中的第二位自己顺服，成为仆人的样式，他的尊严和神性并未因此受损（反而带来更大的荣耀），那么，神让我在婚姻中扮演“耶稣的角色”，我又怎会因此受伤？

这段经文是“三一之舞”最明显的一个地方。圣子尊崇圣父，扮演顺服的角色。圣父悦纳圣子的奉献，又使圣子升为至高。每位都想讨对方喜悦；每位都想尊崇对方。爱和尊重被当作礼物献上，并被悦纳，又再次献上。在《哥林多前书》11:3，保罗直接讲明《腓立比书》2 章所暗示的道理：圣父与圣子的关系正是夫妻关系的模范。[12]圣父作头，圣子自由地、自愿地、喜乐地、积极地顺服父，不是被迫，也不是因为自己地位卑贱。子将作头的地位当作礼物献给父，并且父悦纳这礼物，献礼和受礼都是出于相互的喜悦、尊重和爱。没有能力的高低，也没有尊严的不同。我们不同的性别是为了反映三一神里面这种生命的关系。神让男性和女性来反映三位一体之舞：既反映仁爱而舍己的权威，也反映仁爱而勇敢的顺服。圣子扮演顺服的角色，他借此所表现的，不是软弱而是强大。所以，保罗说，婚姻的“奥秘”让我们洞察神救赎工作的真正心意(弗 5:32)。C. S. 路易斯写道：“丈夫和妻子被描述为基督和教会，在这幅画面里，我们看到男性和女性的尊贵身份，他们不再只是自然界里的一员，而是鲜活的、可敬畏的生命，他们反映着伟大而崇高的现实，这现实完全超越我们的控制，并在很大程度上超越我们所知。”[13]

作头的含义

安守本分既不会贬低我的尊严，也不会对我构成危险；

明白这个道理，我就向前跨出一大步。在我年轻的时候，早期女权主义思想正如日中天。尽管我本人从不觉得应该倡导或捍卫女权主义思想，但是，有意地选择“顺服”，听起来一点也不像我的风格，也不是我周围的人所理解或鼓励的行为。[14]

但是，我需要跨出更大一步才能明白，男人也需要同样程度的顺服，才能扮演好他们的性别角色。男人的性别角色叫做“仆人式领袖”。

在我们这个世界里，社会地位高的人能享受许多利益和特权，大家对此都习以为常——白金里程客户可以升级到头等舱，得享上等美食饮品，以及行李检查的便利。存钱多的 VIP 客户，在银行可以享受优先快捷的服务。

但是，在三位一体之舞中，最伟大的那一位正是最降卑自己、做出最大牺牲、最致力于造就他者的那一位。耶稣重新定义了“居首”和“权威”——更确切地说，他正确定义了这两个词，消除了人们对这两个词的误解。至少对于虔诚的基督徒（就是那些按照耶稣对这些词的定义而非按照世俗的理解方式来生活的基督徒）而言是如此。

根据《约翰福音》13:1—17，耶稣在被钉十字架的前夜，亲自为门徒洗脚。这件事为人所熟知。耶稣用这个行动向门徒表明他如何重新界定“权威”和“居首”。他说：

我给你们作的，你们明白吗？你们称呼我“老师，主”，你们说得对，我本来就是。我是主，是老师，尚且洗你们的脚，你们也应当彼此洗脚。我作了你们的榜样，是要你们也照着我所作的去行。我实实在在告诉你们，仆人不能大过主人，奉差遣的也不能大过差他的人。（约 13：12—16）

主人自己降卑作仆人，给门徒洗脚——耶稣用最奇特的方式表明：权威和领袖地位意味着成为仆人，向着自己死，这样才能去爱别人，服侍别人。耶稣把一切权威重新定义为"仆人的权威"。任何权力只能用于服侍别人，而不是满足自己的私欲。耶稣就是那位服侍人的主，他来，本不是要受人的服侍，如世界的权威人物那样；乃是要服侍人，甚至为别人舍命。

那么门徒呢？根据福音书的记载，他们的行为清楚地表明他们当时完全不明白主的意思。就在主被钉死的前夜，他们还在彼此争论谁将荣幸坐在耶稣左右手边，得到更高的地位。耶稣表明他如何看待权威和领袖地位：在世界上，君主和位高权重的人骑在别人头上作威作福。但你们不可以这样。那些得到神授权作领袖的人，必须作众人的奴仆，效法他们的主耶稣，"人子来，不是要受人服侍，而是要服侍人……"[15]

在主复活和圣灵降临之后，门徒们总算明白了耶稣的意思。保罗写信给以弗所教会，论述丈夫和妻子的关系时，耶稣与教会的关系被当作夫妻关系的典范。我们，基督教会，凡事都要顺服基督；相应地，妻子也要凡事顺服丈夫，这不是委曲求全，因为我们知道丈夫也蒙召效法基督为教会舍己。丈夫必须顺服谁呢？顺服一位救主，一位仆人式领袖，他用权威和大能来表达永不止息的爱，甚至在他为自己所爱的人去死的时候，这爱也不曾止息。

在耶稣里，我们看到威权主义的一切霸道做法都被彻底废除，又看到一切谦卑顺服的行为都得到尊崇和荣耀。基督的顺服并未贬低他的身份，反而为他带来至高无上的荣耀，“神把他升为至高，并且赐给他超过万名之上的名。”(腓 2:9)这是否意味着，丈夫服侍妻子，妻子顺服丈夫，神也会使他们升高呢？我不确定，但我知道一点：如果妻子与丈夫的关系类似于教会顺服基督，那么我们就没有什么好怕的。

女人和男人都得在婚姻中“扮演耶稣的角色”——耶稣舍己的权威，以及耶稣舍己的顺服。我们必须接纳各自的性别角色，并且按照这些角色行事为人，才能让世人明白基督教那些超凡脱俗的思想，因为这些思想从根本上抵触世俗的观念，是世人完全无法理解的，除非基督徒在婚姻中把这些思想活出来。

拥抱“他者”，彼此接纳

既然神呼召女人成为丈夫的“帮助者”，那么，神必定赋予男人和女人不同的能力来完成各自的呼召。最明显的是生理差异,女人可以生育后代,但伴随这些生理差异的,还有更微妙的情感特质和心理特质,尽管差异程度不同。

出人意料的是,正是在这一点上,女权主义的某些理论类似圣经关于性别差异的教导。男人和女人并非"可互换的、单性的"生物,他们有不同的长处,这些差异导致男人和女人以截然不同的方式来解决问题、建立共识和发挥领导作用。《纽约时报》有篇文章叫"当女人做音乐",讲到一个有趣的案例。一位女性指挥和音乐编导告诉我们,何以这三方面的不同性别差异,解释了她指挥交响乐队不同于男性指挥。[16]她说,在某一点上,女性的管理风格"也许好于"男性的,而在另一点上,她则强调,如果按照女性指挥家的处理方式,那么,"长远而言,这些乐师演奏得会更好。"当然,有些人认为,这位作者具有"逆向性别歧视"的嫌疑。然而,关键在于男人和女人完成同一任务的方式大不相同,这一点已经得到最近二十年许多实验研究的证实。这些研究表明,男女在思想、感觉、行为、工作和处理人际关系等方面,都存在深刻的性别差异。

支持这种性别差异的最早的研究之一,是女权主义者吉利根(Carol Gilligan)的作品《别的声音》(*In a Different Voice*,1982)。出版这本书的哈佛大学出版社认为,这本书"引发了一场革命"。在吉利根之前,社会科学理论多是强调表面的性别差异,但吉利根认为,女性的心理发展、行为动机甚至道德推理过程都异于男性。[17]吉利根说，男性通过孤立来追求成熟，而女性则通过依附来追求成熟。[18]

总体而言，男人比较独立自主，习惯发号施令。他们向外拓展视野。他们采取主动。但在罪的影响下，这些特质也会变成两种东西：要么变成粗野的个人主义（如果这种能力被偶像化）；要么变成倚赖别人（如果他完全拒绝神的呼召，并且故意培养其反面特质）。第一种罪是过于男性化，第二种罪是拒绝男性化。

总体而言，女性比较注重关系，习惯接受指令。她们善于向内领受知识。她们滋养生命。但在罪的影响下，这些特质也会变成两种东西：要么变成过于倚赖（如果对方被偶像化）；要么变成个人主义（如果她完全拒绝神的呼召，并且故意培养其反面特质）。第一种罪是过于女性化，第二种罪是拒绝女性化。

我们是按照三一舞者的形象所造，三位一体之舞让我们坦然接受性别差异，甚至期待这些差异。[19]

那些强烈否认"人的性别差异与生俱来"的人（在经过医学和科学研究以及社会学和心理学研究之后，这种人现在比以前少了），以为自己在保护女性，最终却贬低了女性。想在社会出人头地，想在世上受人尊重，那么霸道的、蛮横的（也是罪恶的）男性行为就是默认的行为模式。社会鼓励女性放弃她们的女性特质，变成"准男人"，或"女汉子"。女性所特有的领导力、创造力和洞察力丧失殆尽，这种现象很普遍，在生意场上，在恋爱关系中，甚至在教会事工里都是如此。

在过去三十年里，很多哲学家和社会理论工作者研究了“他者”（Otherness）问题。[20]我们通过反对“他者”——那些与我们有别的人——来定义自己，这是人的本能。很多人认为，“定义自我”的过程使人排斥和轻视他者，就是那些与我们不同的人，从而自动强化自我价值感和独特感。基督徒可以承认，我们自义的罪恶欲望常常让我们鄙视那些思想、感情和行为与我们不同的人。人心与神隔绝，这样一颗罪恶的心生出各种骄傲，包括个人的骄傲、种族的骄傲、阶级的骄傲和宗教的骄傲，所以我们总是需要证明自己与众不同、高人一等、胜人一筹，总想赢得某种身份和地位。

两性之间最容易互相产生排斥心理。爱一个异性真是太难了。有许多误解、愤怒的爆发，还有流不完的眼泪。女人围着办公室饮水机，讲女人的八卦，这时候，男人会向她们投去轻蔑的目光。而女人则还以颜色，嘲讽男人虚张声势、外强中干。谁没听过别人用特别轻蔑的语气说“男人！”或“女人！”？而且，两性之间的鸿沟确实看似无法弥合。我们不能理解对方。并且，既然人心的默认模式是自称为义，我们又不能理解异性，所以我们就认定对方不如我们优越。但是，男人和女人一旦失去或否认他们“独特的尊贵地位”[21]，他们就失去了一种重要的知识，不会与异性交往，不会欣赏异性。

然而，基督徒婚姻观的宝贵正是在这一点上体现出来。按照圣经的观点，婚姻正好弥合了两性之间的鸿沟。婚姻就是完全接纳性别差异。我们在婚姻里接纳配偶的性别角色，虽然我们仍然有许多困惑和挣扎。在婚姻过程中，我们逐渐成长，生命日益丰盛，而婚姻给我们的教导是独一无二的。因为，正如《创世记》所言，男性和女性好像彼此的“反面”——截然不同，却彼此补充；若离了对方，自己就不完整。曾经有同性恋的朋友（男女都有）告诉我，同性恋情之所以如此吸引他们，一个主要原因是与同性相处比与异性相处容易得多。对此我毫不怀疑。同性身上没有那么多差异性需要接纳。但是神对已婚夫妇的计划，就是让我们去接纳他者的不同之处，二人合而为一，而这只能发生于一个男人和一个女人之间。[22]哪怕在原子的层面上，整个宇宙都是靠正负电荷的吸引力所维系。事实证明，拥抱他者确实是使世界赖以存在的奥秘所在。

十字架与“他者”

在真实的婚姻生活中，有很多冲突来自于性别差异。配偶不仅与我们有很大差异，而且这种差异简直是不可理喻。而且，一旦我们撞到这堵不可理喻的高墙，我们心里的罪会让我们断言对方有道德问题，但其实只是性情差异。在男人眼里，女人的“注重关系”其实就是情感依赖性太强，而在女人看来，男人的“独立自主”纯粹是自我炫耀。丈夫和妻子彼此日渐疏远，是因为他们每天听任自己加增这样的心理定论：暗自蔑视配偶的性别特质。

但耶稣给我们作出表率，并且赐给我们力量，让我们可以改变这种宿命。

沃尔夫（Miroslav Volf）在《排斥与拥抱》（*Exclusion and Embrace*）一书中证明，圣经所启示的这位神拥抱了“他者”，那个“他者”就是我们自己。沃尔夫引用了另一位神学家的话，写道：

> 在基督的十字架上，[神的爱]就在那里，他爱他者，爱罪人——不顺服的人——他爱仇敌。三一神彼此间相互的自我降服，显明于基督在世界上的自我降服，而世界是与神为敌的；这种舍己，吸引了一切相信他的人，领他们进入圣爱和永生。[23]

基督拥抱了最敌视他的“他者”——罪恶的全人类。他没有排斥我们，没有直接将我们移交审判。相反，他拥抱了我们，在十字架上为我们的罪而死。爱“他者”，尤其是爱那充满敌意的“他者”，就意味着牺牲自己，意味着时常遭遇背叛、拒绝和攻击。[24]最容易的事就是转身离开，但耶稣没有那样做。他拥抱我们，爱我们这些“他者”，并且带我们进入新的生命境界，与他重新合一。

认识这种恩慈之爱、遮盖罪过之爱，可以为接受基督福音的信徒奠定这一新身份的基础。他们不再需要出人头地、高高在上、排斥别人才能找到自己。在基督里，我们有了最深刻的安全感。我们知道，我们在基督里的地位是稳妥的，我们得到自由，不再臣服于人类属血气的冲动，去蔑视一切与我们明显不同的人。这让我们能够去拥抱而非排斥那些与我们不同的人，尤其是去拥抱我们的配偶，接受对方和对方的一切特质，就是那些令我们感到不解，又常常惹我们生气的特质。

按照圣经的观念，这正是婚姻的荣耀所在：有着不同性别的两个人，为了拥抱对方而委屈自己，牺牲自己。这常常是痛苦的，并且总是很艰难，但这种经历非常有益，它可以帮助我们长大成人，其他任何经历都无法与之媲美；而且这种经历会带来更深的合一，因为两性之间可以深深地彼此补足。这无关乎谁收入高，谁照顾孩子牺牲大。男人出去挣钱，女人在家里照顾孩子，这种家庭模式其实是近代社会现象。千百年来，丈夫和妻子（常常还加上孩子）一起种地，一起经营商铺。家庭劳动分工的外部细节，在不同的婚姻和社会中可能各有不同，但是，丈夫作头，温柔地、以服侍的精神行使权威；妻子顺服，坚强地、满怀恩典地帮助丈夫，这种家庭关系可以恢复我们受造之初的美好样式。

拥抱家里的“他者”

这些话听上去激动人心，但在实际的婚姻生活中行得通吗？

首先，你得找一个非常安全的地方来实施丈夫作头和妻子顺服。我这样说，是因为我并非不晓得神警告过，人的罪性会让男人试图辖制女人（创 3：16）。[25]因此，愿意接受婚内性别角色差异的女人，需要找一个确实愿意担当“仆人式领袖”的丈夫，这样才相配。

我们都知道，电视电影里上演一些危险动作的时候，要打上警示字幕：“请勿在家中模仿”。[26]性别角色正好与之相反：“只准在家里尝试，或只在信徒群体——教会中尝试。”[27]我们作为罪人，只有在这些地方才能安全地主张我们性别角色中的高贵遗产和创世之初的恩赐，因为只有这些地方才有悔改和赦罪的恩典。

有些男人歪曲圣经中“丈夫作头”和“妻子顺服”的概念，将其当作自己的主要武器。女人落到这样的男人手里，饱受虐待，苦不堪言。我绝不会对她们的痛苦视而不见，也不会轻描淡写。教会丝毫不应忽视或弱化这种痛苦，但我祈求不要把孩子和脏水一起倒掉。倒掉脏水吧，想尽办法倒掉！但请留下孩子，让我们按照耶稣的话，按照耶稣的做法，正确接受我们每个人的性别角色。

那样，家就会变成一扇恩典之窗，透过这扇窗，我们可以看见一个崭新的人类社会，这个社会恢复了人类被造之初的荣光，是一个蒙恩得救的社会；在这个社会里，我们不同的性别角色会引导我们更深地理解我们自己，更深地与配偶融为一体。[28]"以婚姻为事工"，正是在这种环境中，妻子蒙召"顺服"丈夫，丈夫蒙召"引领"妻子。

第二，关于婚姻内的性别角色，圣经的教导有一点真是绝妙无比。这一点，你和你的配偶千万不可忽视。虽然婚姻的大原则是清楚的——丈夫要做仆人式领袖，在家里有最高权威，也要负最终责任，但圣经几乎没有细谈这个原则应当如何体现于具体行为。妻子应当出去工作吗？妻子应当从事艺术创作或科学研究吗？丈夫应当洗衣服或打扫卫生吗？女人的主要责任是每天照料孩子，男人的主要责任是挣钱吗？传统思维的人会不假思索地点头说是，可是圣经上根本没说这些。圣经没有给我们一个清单，列明男人女人各自的义务和禁忌。圣经根本没有具体的指示。

圣经为什么这样安排呢？圣经是写给所有时代和所有文化的。如果圣经上有明确成文的妻子和丈夫在古代农业文化中的角色，那么这些角色就很难适用于今天。但圣经永远不会过时。

这对我们意味着什么呢？这意味着：僵硬的文化性别角色是没有圣经依据的。基督徒不应当用圣经来支持男性刻板印象和女性刻板印象。尽管社会学家已经做了很多研究，在“性别差异”与“表达情感、维持关系、制定决策的方式”之间建立联系，但是，不同的个性和不同的文化在表达这些差异的时候，多少是有不同的。一个在美国被视作权威父亲的男人，在非西方国家则可能显得很懦弱。我们必须找到各种方法来尊重和表达我们的性别角色，但圣经允许具体事情有不同程度的自由空间，与此同时又不牺牲大原则的约束力。[29]

提姆到威斯敏斯特神学院教书的时候，我们举家搬到费城，那是我们第一次(也是唯一一次)买房子。我们很快就发现，提姆的薪水不够支付平时的开销，还要还房贷，所以我就到大使命出版社当兼职编辑。我每天早上都要出门上班，整年如此，而提姆日常和暑假中工作时间都比较灵活，于是他就当起“奶爸”，送孩子上学，陪孩子过暑假。外人看到我们的婚姻，可能觉得我们的性别角色搞反了，至少是不够合乎圣经。但实际上正好相反。尽管分工从表面上看似乎变了，但我仍然在使用我的恩赐来帮助提姆，让他可以去教书育人。

我可以想象，上面这些话会招来两种反对意见。第一种人需要明确的定义："我需要更明确的指示！什么事丈夫干妻子不干？什么事丈夫不干妻子干？我需要细节！"回答是：圣经刻意不告诉你细节，免得那些坚持传统思维的人落入机械的模式，只知道说："反正我父母家就是这样做的。"但你和你的配偶是不同的人，活在不同的时代，而且很可能来自不同的地方。基本的角色——领导者和帮助者——是固定的，但每对夫妇必须努力寻找性别角色如何在自己的婚姻里得到表达。这个决策过程本身，也是“理解并尊重性别差异”的重要部分。

但还有另一种反对意见。有些女性一谈到“男人作头”就火冒三丈：“是，男人和女人有深刻的性别差异，但凭什么男人作头？如果男人和女人同样尊贵，只是不同，那为什么非得男人作头？”我认为，诚实的回答是：“不知道。”为什么是耶稣顺服，是圣子服侍？（腓 2:4 及以下经文）为什么不是圣父顺服？我们不知道原因，但我们知道一点：耶稣的顺服和服侍是一个荣耀的记号，它证明了耶稣的伟大，而不是软弱。

我认为，给第二种反对意见的回答相比给第一种的回答更为实际。我们之所以要顺服“仆人领袖”和“有力的帮助者”这两种性别角色，正是因为这个努力的过程可以帮助我们保持并凸显自己的性别特质。

圣经指示我们，在家里，男性和女性要反映我们在家庭分工上的不同恩赐——我们在家庭团队中不同的工作职责。妻子被告诫要更加直接、更加经常地做温柔的支持者和鼓励者（彼前 3:1—2，4），养育儿女，照顾家庭生活（多 2:4—5）。丈夫被告诫要更加直接、更加经常地做出表率，为家人提供保障，保护他们，但也必须尽到教育儿女和养育儿女的责任（提前 3:4；5:8）。

恩赐各有长短，但如果我们知道自己的性别角色是神的恩赐，我们就会努力取长补短，而不是一概否认自己的短处。例如，提姆和我都来自于母强父弱的家庭，所以，结婚之初，我们的默认行为模式都是那种家庭的复制品。扭转我们自身的偏好，犹如逆水行舟：对我而言，是让提姆作头（对提姆而言，是承担起那些责任）；对提姆而言，则是帮助我安分守己，同时又不忘记我自己养育孩子和辅助丈夫的使命。

所以，提姆得努力加强“仆人式领袖”的领袖一面。他看见这个角色是神的恩赐，认识到这点让他变得成熟而坚强。但有些男人可能需要加强“仆人式领袖”的仆人一面。这样一来，顺服自己的性别角色，会成为给他们的一个美好礼物（若想了解更多关于性别角色如何影响婚姻中的实际决策过程，参见本书附录：“决策过程与性别角色”）。

拥抱“他者”，智慧加增

顺服神在婚姻里的安排，可以让你们更深入地认识自己，也就是你们的男性特质或女性特质；然而婚姻也使你们更加平衡，更加开阔。性别差异的彼此磨合让双方变得更加坚强，更加温柔，以截然不同的方式彼此服侍。提姆喜欢说，经过多年婚姻生活之后，他常发现我们两人的默契，每次他想针对某事作出反应的时候，他本能地知道，如果我在场，我会说什么做什么。“在那个瞬间，我问自己，‘凯西的典型反应会不会比我的更智慧，更合宜?’并且我意识到我的词汇和行为全都因此而得到扩展。我的妻子已经教会我如何像她那样对待生活，现在我有了更多选择，更容易做正确的事情。”

因此，婚姻可以造就众人，不仅造就那些性别特征过强的人，也可以造就那些性别特征太弱的人。婚姻生活使我们更加开阔，也使我们更加深刻。

在某些方面，提姆是性别特征较弱的类型(例如，他不愿意得罪人)。但在另一些方面，他的男子汉气概又让人讨厌。有时候，我对他说:“你生气了吗?”他会说:“当然没有，我很好。”但三天之后，他回头说:“你是对的。我当时又愤怒又有怨气。”而我会想:“一个成年人怎么会如此不了解自己的感受呢?”他倾向于向外看，而不会很好地审视自己的感受。多年来，我得怀着尊重的态度，帮助他认识自己。但有时候我发现自己会说这种话:“这事还是你做主吧，因为你更容易无动于衷。”

有人或许会举手反对，“这些是刻板的性别印象”——冷静的男性和情绪化的女性。但这些不是刻板印象，而是活生生的我们——提姆和我。而且，你认为刻板印象是什么?是不平衡的、未被救赎的男性特质和女性特质。但丈夫和妻子是为了彼此补足。这是“极大的奥秘”，正如圣保罗所言，但在某个深刻的层面，这个与我如此不同的陌生人，正在医治我，而我也在医治他。

要记住，这个人完全不像你。他有不同的行为，不同的思想，不同的做法，并且在某些情况下，对付他不仅会让人受挫、让人害怕，而且根本行不通。但是，在更深的层面，你正在发现真实的自己。你在观看你的另一半。你看见神如何用你的丈夫使你成为完整。补足的结果就是坦然和惬意。亚当和夏娃在堕落之前是赤身露体的，彼此敞开，并不觉得羞耻。没有焦虑，没有隐藏。在那时，亚当和夏娃有一种和谐感，这是一种原初的、古老的和谐，是我们所未曾体验过的美好感受，而罪进入并且打破了他们的和谐。一旦你把婚姻视作补足，顺服也就水到渠成了。

一方不开窍怎么办？

性别角色是婚姻的基础，这需要双方一致认可。但是，如果你的配偶坚持错误解读自己的角色，那该怎么办呢？为了保护我们自己，免得对方误用、利用或者滥用权力，我们是不是应当像世人那样，扮演男女平等、无性别区分的角色呢？

尽管罪确实已经改变并扭曲了一切，但我们还是不能放弃性别角色。圣经每次提到性别角色，都联系《创世记》的故事，因此我们千万不能小看。而且，我们的性别角色植根于三一神彼此关系的本质，我们当然不应该篡改这个奥秘的启示，也就是神设立婚姻的本意。

关于“信徒与非信徒结婚以后应当怎么办”，新约有明确的教导。但是，假设双方表面上都是基督徒，而妻子不想承担自己的性别角色，拒绝顺服她的“头”，那丈夫该如何是好呢？或者，去教会作礼拜的丈夫滥用圣经来拒绝妻子的意见、参与，甚至排斥她这个人，妻子又该怎么办呢？

尽管我从来没有身陷这种处境，但我有些朋友的婚姻正是这种情况，甚至更糟。而且，我本是罪人，嫁给另一个罪人，所以我们俩也不是总能扮演好自己的性别角色。

有一句话是智慧的婚姻辅导不可或缺的：“你可以完全控制的人，只有你自己。”你无法改变别人的行为，只能改变自己。如果一个男人或女人想让自己更好地进入合乎圣经的性别角色，并不需要另一方的同意。“丈夫作头”，“妻子顺服”，这两个角色都是作仆人，既然如此，一方总是可以先开始服侍对方，不用等对方批准。

一般情况下，首先是改变态度，这种改变是看不见的；然后才是看得见的行为改变。丈夫开始努力帮助妻子在灵性上开花结果（不论她的现状如何），这可能意味着他为妻子祷告，而之前他并没有这个习惯。或者，一个厌恶丈夫那种“阿奇邦克式”* 做派的妻子，可能会开始学习满有恩慈地

---

* 阿奇邦克（Archie Bunker），电视剧中一个固执己见的蓝领工人。——译注

顺服丈夫，而非怨恨丈夫对自己缺乏尊重。

正如双方都在积极探索如何在具体生活中扮演性别角色方面，每对夫妇的做法各有不同；在一个不平衡的婚姻中应当如何来荣耀神，这个问题的答案也因人而异。但有一点是确定的：如果顺服神没有使你得到满足，那么悖逆神更会让你一无所有。所以，为什么不尝试一下聆听婚姻对你的召唤，好好扮演“耶稣的角色”呢？

第7章
单身与婚姻

凯西和我（提姆）刚到曼哈顿植堂的时候，我们没过多久就发现自己置身于这样一间教会：80%以上的会众都是单身。我们刚开始觉得挺意外的，后来我们明白了，救赎主教会只是反映了曼哈顿市中心的人口统计数据。最初几个月，我以为一群由单身人士组成的会众不太需要关于婚姻和家庭的讲道，但很快就发现不对。在1991年夏末和整个秋天，我就婚姻这个题目讲了九次，其中的核心内容都在本书里。

那么，是什么促使我向未婚者讲婚姻之道呢？答案就是：单身的人若不能平衡而明智地看待婚姻，就不能过好单身生活。如果他们对婚姻没有正确的认识，就会走极端：要么过于期待婚姻，要么不够期待婚姻，而这两种思维方式都会扭曲他们的生活。

保罗在《哥林多前书》写道:“你已经有了妻子吗?就不要想摆脱。你还没有妻子吗?就不要去找妻子。如果你娶妻子,这不是犯罪;如果处女出嫁,也不是犯罪。不过,这样的人要受肉体上的苦难,我却不愿你们受这苦难。弟兄们,我是说时候不多了。”(林前 7:27—29a)这段话乍一看让人难以理解。这种婚姻观与《以弗所书》5:21 及以下的经文当中所展现的美好婚姻画面显然是很抵触的。有些人猜想,保罗写《哥林多前书》的时候是不是正在受苦呢?另一些人指出,保罗的末世论思想显然影响了他的婚姻观,他相信耶稣随时可能再来(“时候不多了”),但历史证明保罗错了。真是这样吗?

可是,保罗紧接着又写道:

> 从今以后,有妻子的要像没有妻子的,哀哭的要像不哀哭的,快乐的要像不快乐的,买了东西的要像一无所得的,享用世上百物的要像没有享用的一样,因为这世上的情况都要过去。(林前 7:29b—31)[1]

这里我们看到,在“时候不多了”这个词的背后,是一种非常复杂的历史观。保罗在讲两个世代的“交叠”。[2] 旧约的先知说,弥赛亚将终结旧秩序——这个“速速死亡,没有福乐”的世界,然后开启天国的新时代,到时候,万物都要恢复原本的荣耀，再也没有死亡和败坏。耶稣第一次来的时候，他宣告自己就是弥赛亚，可是，谁也没有想到，他并没有登上王位，反而走上了十字架。他并没有来审判世人，反而承受了审判。这是什么意思？这意味着耶稣确实带来了神的国。借着悔改和信心，我们如今已进入天国了（约 3:3,5）。耶稣统治的权能如今就在我们中间运行，让人与神和好，又与众人和好，彻底医治他们（路 11:20；12:32）。然而，这个世界还没有结束。我们仍然住在一个充满败坏、疾病和死亡的世界里。这就是"世代交叠"的意思。神的国度——神的权能更新整个被造世界——借着基督第一次到来，已经打破旧世界的权势，进入这个旧世界，但神的国还没有完全彰显在地上。旧秩序还在，尽管它注定要灭亡，如今只是苟延残喘。如保罗所言，这个世界"将要过去了"。

这种历史观有何实际意义呢？一方面，它意味着这个世界的一切社会关系和物质追求仍然存在。这个世界仍然继续存在，我们也仍然住在其中。我们必须为明天考虑。但我们相信将来会有一个不一样的世界，这种信心能够转变我们对地上所有事情的态度。我们为成功感到欣喜，但不会高兴过头；我们为失败感到遗憾，但不会垂头丧气；因为我们的真正喜乐在于将来，那是神用自己的生命和话语所坚立的。所以，我们享用世上百物，要像没有享用的一样（林前 7:31）。[3]

那么，讲到我们对待婚姻和家庭的态度，这种历史观又意味着什么呢？保罗说，这意味着结婚不结婚，都是合宜的。我们没必要因结婚而过于激动，也不需要因没结婚而过于沮丧——因为只有基督才是我们灵魂真正的配偶，只有在他里面，我们的心方得饱足；只有天国才是我们灵魂真正的家园，只有在神那里，我们的灵方得安息。

单身之美好

明白了这个背景，我们就能更好地理解保罗关于单身和婚姻的话多么具有颠覆性。神学家侯活士说，基督教是第一个认为"单身是一种合宜的生活方式"的宗教。他写道："基督教与犹太教［以及其他传统宗教］的一个明显差异，就是基督教欢迎单身生活，认为这是一种美好的生活方式。"[4] 几乎所有古代宗教和文化都认为建立家庭和养育后代具有绝对价值。羞辱家庭就是羞辱自己；人若没有后嗣，就不会留下真正持续的影响或遗产。若没有儿女，你实际上就等于一无所有，因为你没有未来。于是，人对未来的主要盼望就是有孩子。古代文化认为，长期单身的成年人，其人生是不完整的。

但基督教的创始人耶稣基督和最重要的神学家圣保罗，都是一辈子单身。不能说，单身之人就不如已婚之人完整，因为耶稣基督这个单身汉是最完美的（来 4：15；彼前 2：22）。保罗在《哥林多前书》7 章认为，单身是好的，是蒙福的状态，并且在很多情况下，单身实际上比结婚更好。这种革命性态度所造成的结果就是，早期基督教会不鼓励人们结婚（正如我们在保罗书信中所见），并且有组织地支持贫穷的寡妇，让她们在生活上没有后顾之忧，无需再嫁。一位社会历史学家这样描述早期基督教的做法：

> 假如基督徒妇女守寡，她们可以享受实际的好处。异教寡妇则要面对很大的社会压力，不得不嫁人；奥古斯都皇帝甚至下令，寡妇两年不出嫁就要受罚。与之相反，基督徒却尊重寡妇，并且他们对寡妇再嫁的态度是温和的反对。教会随时准备救济穷困的寡妇，让她们自由选择嫁或不嫁。[基督徒寡妇可以积极关怀周围的人，向众人行善。][5]

早期教会为什么采取这种态度？基督教的福音和基督徒对将来天国的盼望，打破了家庭这个偶像。在当时的社会，没有什么行为比绝后更极端。生孩子是成年人生活的意义所在，因为儿女会记念你。儿女也给你安全保障，因为你老了他们奉养你。所以，单身的基督徒是在向世人宣告："我们未来的保障不是靠家庭，而是靠神。"

单身的成年基督徒在向世人见证，家庭不是他们的盼望所在，神才是。神会保障他们的未来，首先，神给他们一个真正的家——教会，让他们在基督里永远不缺弟兄姐妹和父母。但归根结底，基督徒的产业是新天新地里神国度的完全。侯活士进而指出，基督徒的盼望一方面让没有配偶、儿女的单身人士也可以活出充实的人生，另一方面也促进了人们结婚和生养后代，因为他们不再害怕把孩子带入这个黑暗邪恶的世界。“基督徒的盼望不在于儿女，但儿女是一个标记，表明他们对神的盼望……表明他们相信神还没有弃绝这个世界……”[6]

遗憾的是，当代西方的基督教会似乎失去了这种认识，人们不再认为单身是好事。相反，教会给单身贴上一个不太好的标签：“基督徒生活预备方案”。布朗(Paige Benton Brown)在她的经典之作《为神子出》(Singled Out by God for Good)中列举了教会内谈及单身问题时的一些陈词滥调：

- “一旦你单单以神为满足，他就会带一个特别的人进入你的生命”——似乎神的祝福倚赖于我们的满足。
- “你太挑剔了”——似乎神被你浮躁的念头搞得束手无策，他需要你扩大选择面才能在你里面工作。
- “作为单身基督徒，你可以全心把自己奉献出来，从事神的工作”——似乎神需要多愁善感的殉道者才能工作，而结婚的人就与神的工作无缘。
- “神要先把你变成一个好人，然后你才能嫁(娶)一个好人”——似乎神先让人完全成圣，然后再赐给他们婚姻，作为顺便的福分。

这些话背后隐含了一个前提：单身是一种倒霉的状态，适合那些尚不成器的人。布朗借用保罗在《哥林多前书》里的经文回应说："我单身并非因为我属灵上不够成熟，不配得到丈夫；也不是因为我属灵上过于成熟，不需要丈夫。我单身是因为神是良善充足的，是因为单身是神对我最好的安排。"[7] 这完全符合圣保罗的思想和态度。基督教对单身生活的认可，超过其他任何宗教信仰和世界观。

婚姻是天国的预尝

今天人们的态度又如何呢？非西方的传统文化仍然向个人施加强大的社会压力，要求他们必须结婚生子。西方社会虽然不是这样，但并不意味着西方社会没有这种压力。前面讲过，西方文化让我们渴望轰轰烈烈的爱情，我们的盼望在于找到完美的伴侣，从中得到完美的灵性满足和情感满足。有无数迪士尼式的流行文化叙事，一对男女正在寻觅真爱，故事才算开始，并且他们一旦找到真爱，故事就淡出了。这些故事所传递的信息就是，生活中最重要的篇章就是找到爱情和婚姻，其他一切都只是序和跋。所以，传统社会和西方社会都让单身生活显得很糟糕和低人一等。

然而，新约却不是这样。实际上，当我们从《哥林多前书》7 章翻到《以弗所书》5 章，看到如此崇高的婚姻观，我们会更相信单身生活不乏益处，心里感到更踏实。为什么？

前面讲了,《以弗所书》5 章说,婚姻归根结底并非关乎性爱、社会地位或个人幸福。神设立婚姻是为了在人类的层面反映我们与主相爱的关系,以及与主的连合。婚姻是一个记号,也是一个兆头,让我们可以看到将来的天国。

但是,这种崇高的婚姻观也告诉我们,相比我们与神的关系,婚姻是第二位的;人类婚姻指向那终极的婚姻,那是我们的灵魂最深的渴求;人类家庭也指向那终极的家庭,那是我们的情感最好的寄托。已婚夫妇如果看不到婚姻是"次好的"(penultimate),他们在经营婚姻时就会做不好。即使最好的婚姻,靠其本身也填补不了只有上帝才能填补的空白。如果双方现在没有与基督建立一种深刻的、满足的爱的关系,而只是指望将来与基督有完美的爱的关系,那么已婚的基督徒就会对他们的婚姻期待过高,以期使双方得到满足,而这往往造成生活中的种种不健康状态。

但是,单身的人也必须明白婚姻是"次好的"。如果单身基督徒不与基督建立一种深刻的、满足的爱的关系,他们就会对自己的婚姻梦想期待过高,这也会给他们的生活带来病态。

然而,如果单身基督徒学会安息于他们与基督的婚姻中,并以此为乐,他们就能妥善看待单身生活而不自卑,不会认为自己的人生不如别人完整,或者不成熟。并且他们有可能立刻开始调整自己的价值观。因为,如果把婚姻当做偶像,他们在单身时会受其捆绑,即使结了婚,也同样会受其捆绑。所以，基督徒没有理由坐以待毙。降低婚姻和家庭在你心目中的位置，把神摆在首位，开始享受单身生活的美好。

性别“完整”与单身

前面说到，单一的性别多少都是不完整的。既然如此，我们怎能声称长期单身是好的呢？答案仍然是关乎我们在基督里的盼望，以及我们基督徒群体生活体验。单身基督徒可以在教会里找到他们的“后裔”和家人，同样，弟兄也可以在教会里找到姊妹，姊妹找到弟兄。

基督徒的盼望，让教会变成非常深刻的人类群体生活平台，远远超过俱乐部或利益组织。福音信仰和体验在基督徒中间创造了一条纽带，这条纽带的强度超过人类的任何其他关系，不论是血亲关系，还是种族身份（弗2；彼前2：9—10）。深刻悔改并借着基督的十字架蒙恩得救，这种属灵体验意味着：今天，关于世界和自我的最深刻信念，我与其他基督徒的想法是根本一致的。我爱自己的亲人，我爱我的近邻和我所在社群的其他成员，但我们对现实的最深刻反应和信念却是格格不入的。简而言之，这意味着，我首先是基督徒，然后才是黑人或白人。我首先是基督徒，然后才是欧裔或拉丁裔或亚裔美国人。我首先是基督徒，然后才是提姆，或史密斯，或琼斯。

这并不意味着如果我是亚裔，我成了基督徒就不再是亚裔，变成了其他什么人。如果我信耶稣的时候是亚裔，我就变成亚裔基督徒，而不是拉丁裔基督徒。我的首要信仰是我和一切基督徒所共有的信仰，但我与本文化许多人有许多共同的思维习惯和情感习惯。这些文化习惯仍然是重要的，关键的。圣经强烈督促我们爱家人，关心邻居，不论他们的信仰是什么。然而，福音最终创造了一条坚固的纽带，让我们与教会里的其他基督徒组成一个基督徒大家庭(彼前 4:17)和一个新的民族(彼前 2:9—10)。

这意味着：单身的人在一个有力的基督徒群体中，可以经历家庭内部的跨性别关系所带来的独特益处，尤其是弟兄姊妹之间的关系所带来的益处。[8] 几乎不可能列举一套详细的、具体的、适合每种性格和不同文化的“男性特征”或“女性特征”，这是我的亲身体验。我既不会试图定义“男性特征”或“女性特征”(那是传统思路)，也不会否认和压制这些特征(那是当代世俗思路)，相反，我认为，在每个基督徒群体中，你应当寻找并欣赏男女之间的必然差异，就是你所在世代、所在文化、所在地方的男性和女性之间的种种差异。

等待这些性别差异出现，然后认识这些差异，大胆地谈论这些差异。注意那些明显的偶像，就是你所在世代、文化和地点的女性和男性所崇拜的偶像。注意你所在世代、文化和地点的女性和男性所拥有的力量。注意他们的交流模式、决策技巧、领导风格、生活取舍以及他们如何平衡工作与家庭生活。当你看见别人与自己有差异时，予以尊重和认可。没有福音，人们常常把性格差异、文化差异和性别差异当作自己的美德或别人的缺点。我们通过这种方式来建立自尊——这也是一种"靠行为称义"，想出人头地。而且，这样一来，男人和女人就会嘲笑对方的性别。但福音应当消除这种外强中干的态度。

凯西在前一章指出，多年的婚姻迫使你学习从异性的角度看问题，知道他们如何待人，如何处事。最终，你可以本能地知道配偶在某种处境中会做出什么反应，评估异性在这种处境中的智慧，并且让自己适应这种反应。这种学习过程，在婚前是不可能实现的。我们可以称之为"跨性别学习过程"(cross-gender enrichment)。这样一来，男性和女性就彼此补足，共同反映神的形象(创 1:26—28)。但这个过程并非仅属于已婚者。在关系紧密的基督徒群体中，这个过程会自然发生，我们在群体中分享情感和生命，这种分享绝非流于表面，而是非常深入，神借此教导我们，改造我们，使我们逐渐成熟。如果一个环境里有这种弟兄姊妹相互服侍、彼此受益的事工[9]，这种跨性别的彼此补足就会自然发生。当然，它没有婚姻中的彼此补足那么强烈。不过，这种更为集体的经验并不逊于婚姻，因为在婚姻里你只是与一个异性在一起。婚姻确实会限制你与其他异性的亲密程度，也应当如此。然而，在基督徒群体中，单身的人可以广交朋友，包括同性和异性。

追求婚姻的美好

基督教对于单身的看法堪称独一无二。不同于传统社会，基督教认为单身是好的，是因为神的国度为基督徒提供了最持久的遗产和后裔。不同于当代沉浸于性爱和浪漫的西方社会，基督教认为单身是好的，是因为我们与基督的连合可以满足我们最深的渴望。

但是，与我们这个反对委身的后现代社会不同，基督教并不惧怕、也不刻意回避婚姻。西方社会的成年人深受个人主义影响，这种思想恐惧甚至痛恨为了别人而限制自己的选择。许多人如今过着单身生活，但他们并非因为太渴望婚姻而处于有意识的孤独痛苦中，而是在很大程度上因为惧怕婚姻而处于无意识的孤独痛苦中。

传统社会倾向于把婚姻当偶像（因为传统社会把家庭和部落偶像化），当代社会则倾向于把独立当偶像（因为当代社会把个人选择和个人幸福偶像化）。传统的结婚动机是社会责任、稳定生活和社会地位，当代人的结婚动机则是个人实现。这些动机当然都有合理之处，但是，如果基督的福音没有改变你的思想和情感，这些动机也会成为终极目的。

作为身在美国纽约市的牧师，我注意到一个有趣的社会学现象。我所在教会有些单身的基督徒，他们从小在传统美国文化环境中长大，形成了“若不结婚，人生就不完整”的思维定式。然后，他们搬到纽约，而这里的主流文化是“你必须有好工作，必须找到完美的伴侣，对方不会试图改变你，否则你就不应该结婚”，他们整天被这种思想狂轰滥炸。他们的源文化让他们过于渴望婚姻，而他们的现文化让他们过于恐惧婚姻。对婚姻的渴望和恐惧一同住在他们心中，有时势均力敌，彼此对抗。

对婚姻的恐惧感会带来各种病态。当代文化对婚姻的恐惧感造成的一个主要结果就是，单身的人成为完美主义者，这令他们看到将来的配偶时，无法感到满意。不幸的是，这种完美主义倾向常常支持性别角色定型（gender stereotypes），因为传闻证据和经验研究都表明，男人追求的是漂亮的女人，而女人选择的是有钱的男人。换句话说，当代人说他们想得到完美的伴侣时，他们其实是受到性欲和金钱的主宰。结果，当代人的约会变成一种极其拙劣的自我推销过程。你必须漂亮或有钱才能约会，才能找到伴侣或配偶。而你想找个漂亮或有钱的伴侣，是为了维护你的自尊。

虽然有很多幸福的例外，但单身基督徒的想法和做法与大多数人没有什么差别。我觉得这样说一点也不过分。在单身基督徒心里，多数候选人由于外表、举止、财务状况和社会地位方面的考虑而立刻被排除在外。这不过是主流文化崇拜性魅力和金钱，而单身基督徒受到这种主流文化影响的一种表现。他们以最肤浅的方式寻找一个已然“美好”的人。[10]

假如我们像这本书前面所说的，把婚姻视为一个途径，让夫妻借以相互帮助，通过舍己的服侍和属灵的友谊，使彼此成为将来那荣耀的新人，那么，我们寻求婚姻的方式将会与现在截然不同。假如我们看到婚姻的使命是让我们以独特而彻底的方式认识自己的罪，并且婚姻为我们提供了一个在爱中讲真理的人，从而让我们可以成熟起来并离开这些罪，那么我们会如何寻求婚姻？假如神在我们配偶生命中的伟大作为是我们所深爱的，我们会发生怎样的变化？有意思的是，这种婚姻观最终确实为人提供了无法想象的个人满足，但不是当代人所想要的那种无需舍己的满足和肤浅的满足，而是另一种绝妙无比的满足：明显的品格成长（弗 5:25—27），结出各种属灵的果子，就是仁爱、平安、喜乐和盼望（西 1；加 5；林前 13）。

很多单身者都在寻找特别合得来、特别出色又漂亮的伴侣。对另一些人来说，单身生活非常痛苦，说好听点是炼狱，说难听点是地狱，他们觉得单身生活就是你一直苦苦期盼着开始自己真正的生活。第一种单身者出于恐惧和完美主义思想，根本无视可能成为结婚对象的人的一切优点。第二种单身者可能会吓跑对方，因为对方需求太过强烈，而且有时会出于绝望而在选择结婚对象时做出糟糕的决策。当第一种人与第二种人交往时，这种组合可能会很伤人。

布朗在其论单身生活文章的最后一节，让我们看到什么是基督徒生活的独特平衡：

> 面对现实吧，单身不比结婚差，单身不是固有的次等状态……但我想结婚。我每天为此祈祷。或许我在几年内会遇到某个人，和他一起走上红地毯，因为神如此恩待我。或许我再也不会约会，也是因为神如此恩待我。[11]

这就是基督徒的平衡之道。

约会的历史

那么，我们能给那些想找配偶的单身者什么实际的指导呢？

首先，我们可以先来大致看看不同时代的人如何回答这个问题。[12]在古代以及十八世纪和十九世纪的美国，婚姻通常是包办的。浪漫爱情（如同我们在简·奥斯汀的小说中读到的）当然也是结婚原因之一，但也仅是之一。更主要的原因在于社会动机和财务动机。你得和门当户对的家族联姻，你得和门当户对的人结婚，买得起房子，养得起孩子。

但是，到了十九世纪后期，为爱情而结婚成为主流文化，于是产生了一种叫"上门"（courtship）求婚的习俗。男子接受邀请去追求年轻姑娘，在女子家的前门走廊见面。

简而言之，男人是被邀请进入女子家中，然后在她家里当着她全家人的面与她相会。有趣的是，主动邀请男子上门是这位年轻女子的权利。[13]

世纪之交出现了当代意义上的“约会”。这个词第一次以这个意义出现在正式文件中，是在 1914 年。[14]现在，年轻男子不是去女子家里，而是带她出去，在某些娱乐场所相互认识。随着约会在整个社会传播，它不仅使整个交往过程趋向个人化，让两人脱离家庭环境，而且改变了浪漫关系的焦点，双方的焦点不再是友谊和品格评估，而是转向消费、炫耀和玩乐。

最近发生了新的社会变化。进入二十一世纪不久，“勾搭”(hook-up)文化出现了。《纽约时报》及时报道了这种社会潮流。有一篇文章提到少年人发现异性伙伴是如何招人讨厌又难以交往，而且约会也太麻烦，需要许多互谅互让和彼此沟通，还要学习如何应对一个与你不同的人。换句话说，他们的认识是对的：约会需要你辛苦地为婚姻关系作预备，这种预备工作通常非常艰难，尽管将来会有回报。为了避免这些艰苦，找人陪伴的一种新形式出现了，一种直奔性行为的形式。勾搭只是简单的性交往，不以经营相互关系为前提。勾搭之后，你可能想开始约会的关系，也可能不想，但约会与否不是勾搭的前提。[15]

勾搭文化的到来，对一些人来说，意味着我们第一次迎来了这样一个社会：根本没有清晰的、得到文化支持的途径，让单身成年人得以相遇和结婚。于是，很多传统的宗教群体纷纷涌现，这些群体努力回归传统，鼓励家庭和社区更积极地参与单身者的婚恋过程。例如，正统犹太教群体有一种传统的“相亲程序”(*shidduch*)，亲友们为单身女子或男子牵线搭桥，介绍他们见面，让他们可以彼此评估。[16]有一些福音派基督徒团体想重建早先的某些习俗。有些人倡导一种“父亲指导”的求婚交往形式，由女方的父亲来选择和指导整个过程。

我相信，这些回归求婚运动会遇到很多问题。它们并没有考虑到传统社会所固有的诸般偶像，而且它们相应地把人类社会历史的某个特定时刻看成惯例。为什么要选择求婚这种形式？为什么不直接回到完全包办婚姻？它们还假设了一个非常稳定的社群，每个人都从小认识周围的所有人。正如温纳(Lauren Winner)所言：“比如你二十六岁，刚刚从偏远的地方搬到大城市来读研究生；另外还有一个人，也是二十六岁，在小城镇长大，在当地读书，又在当地书店上班；那么，你的社群在你爱情生活中所能起到的作用，必定不同于社群在他的生活中的地位。”[17]温纳还讲到一对夫妇如何相互安排“结识活动”(acquaintanceship)的故事。这个英文单词是她造的，她用这个词来描述一对正统犹太教夫妇，他们相遇，相恋，但确定关系之后，他们找朋友帮忙，为他们安排了一系列传统的相亲约会和求婚活动。[18]

我提到这个例子是因为我认为这是一种有趣的思路，

可以用来思考基督徒在这个混乱的时代应该如何继续前行。我们确实生活在一个变幻多端的世界，一切日新月异，远超过从前的世代，因此，传统社交关系网络都在逐渐丧失影响力。但是，我们能否把某些早先的做法用于当代现实呢？我们能否把人们的目光焦点从钱财和性爱转向注重品格、从追求个人实现转向社群建设呢？我们能否让我们周围的社群更加积极地帮助单身男女寻求婚姻呢？下面，我将列出一些实践上的指导准则。

为寻求婚姻者提供实际辅导

要承认，人们有不寻求婚姻的理由。有很多时候，未必非得积极约会或寻求结婚。一个人若总是需要“有人作伴”，很可能已陷入婚姻偶像崇拜。在经历某个重要的过渡期时（比如刚开始工作、入学、丧亲或有其他事情需要你关注），你可能不适合谈恋爱。在经历情感刺激之后，你或许要有意避开对婚姻的寻求。因为在这种情况之下，你的判断可能是不明智的。在经历医治或重整旗鼓的时候，你或许更需要深刻的基督徒友谊，而不是约会和考虑结婚。

理解“独身的恩赐”。保罗在《哥林多前书》7:7 说独身是一种恩赐。很多人以为保罗在讲有些人完全缺乏结婚的兴趣或欲望。按照这种观点，有独身的恩赐就是不会经历情感挣扎、没有烦躁不安或没有结婚的愿望。难怪有很多人开玩笑说:“我觉得我没有那个恩赐!”我们必须明白保罗这里的意思,否则我们就会贸然以为,不想谈恋爱是一种从神而来的恩赐。有很多糟糕的原因让人不想婚姻,包括自私的心态、缺乏维持友情的能力、轻视异性等等。

保罗在书信里总是用“恩赐”一词来表示一种来自于神的能力,神赐给人这种能力,是为了造就别人。所以,保罗这里并不是在讲某种难以捉摸的、无忧无虑的状态。对保罗而言,独身的恩赐在于他可以自由地专注于福音事工,而结婚的人就做不到。因此,保罗独身很可能也会经历我们今天所谓的“情感挣扎”。他可能也想过结婚。但是,他不仅找到了独身生活的力量,可以一生服侍神和服侍人,而且还发现(并且利用)了独身生活的独特优点(例如灵活的时间安排),可以更有效地传福音。[19]

所以,要正确理解保罗所说的“独身的呼召”,它既不是没有挣扎的状态,也不是悲惨的经历,而是借助独身在生活和事工上硕果累累。一旦你有独身的恩赐,或许你会经历许多挣扎,但更要紧的是,神在帮助你走向属灵的成熟,在别人的生活中结出果子,尽管仍会有那些挣扎。这意味着独身恩赐不只是属于极少数蒙召的人,而且独身不一定持续一生,尽管有可能持续一生。独身恩赐也可能只是为了一段有限的时期。

年龄越大,寻求婚姻越要严肃。有各种各样的约会经历。一个极端是:约会就是出去参加各样的娱乐活动,但它主要是一个借口，好和某个特定的人共度时光。另一个极端是：约会是为了参加所热衷的活动，比如毕业舞会、看电影或听音乐会，而自己只是需要找个伴儿，有人陪着。尤其在我们年轻的时候，后一种约会更合适，而且这种约会几乎不需要评估对方是否适合结婚。然而，随着我们年龄渐长，多数人渐渐会想，“如果你和我出去，你就是在考虑认真的恋爱关系，或是考虑结婚。”而这时候，如果你还保持后一种约会状态，事情就会变得棘手。有一种情况是非常令人痛苦的：你以为两人是在认真谈恋爱，而对方以为只是社交和娱乐。

所以我要提点建议。首先，行事为人要和年龄相称。青少年一般不应该试图唤醒那些多年之后才能满足的情感欲望和身体欲望，也就是只能在婚姻中得到满足的欲望。[20]然而，如果你是单身，并且已经三十多岁，就应该明白，如果你想和年纪相仿的人继续那种寻欢作乐的约会，那往往是在玩弄别人的感情。年龄越大，越经常出去，双方必须越早承认你们是在寻求婚姻。

不要与非信徒纠缠太深。这一点会引发争议，尽管本书的读者读到这里应该不会觉得意外。圣经处处都说基督徒应当和基督徒结婚。例如，在《哥林多前书》7：39，保罗写道：“丈夫活着的时候，妻子是受约束的。丈夫若死了，她就可以自由地嫁给她愿意嫁的人。只是要嫁给主里的人。”圣经其他经文，例如《哥林多后书》6：14，也合乎这个原则，并且这是理所当然的。旧约很多地方禁止犹太人和非犹太人结婚，表面看是让人和本族人结婚，但《民数记》12章(这里记载摩西娶了异族的女子)的经文表明，神所关心的不是种族问题，而是信仰问题。

很多人以为，不鼓励基督徒与非基督徒结婚的做法很狭隘。但是，圣经的这个规定有令人信服的理由。如果你的伴侣不接受你的基督教信仰，那对方就不会真正理解你信主这件事，至少不是由衷地理解。而且，如果耶稣是你生活的中心，那就意味着你的伴侣不会真正体谅你。对方不明白你生命的源泉，不知道你做一切事情的基本动机。我们读过前面几章就会知道，没有人在结婚前完全了解配偶。但是，如果两人有共同的信仰，那么双方就已经了解对方最基本的动机和人生观。然而，如果你和非信徒结婚，而对方不认可、也不明白你所坚持的基督徒原则和最核心的信仰，那么你就会不断做出令对方完全想不通的决策。你生命的这个部分——而且是最重要的部分——对你的配偶来说，将永远是模糊的、测不透的。

婚姻中亲密关系的最美妙之处，就是你终于找到一个懂你的人，这个人最后总能理解你，接纳你的本相。你的配偶应当是一个你可以完全放心的人，你不需要隐藏什么，也不需要不停地解释；这个人应当是和你心有灵犀的人。但是，如果对方不是信徒，对方就不能明白你最看重的东西，不能与你心意相通。

如果你真的找了一个非信徒，对方不接受你的信仰，那么只有两条路。一条路就是，你得越来越多地牺牲自己的透明度，将自己隐藏起来。在正常而健康的基督徒生活中，基督和福音与所有事情都息息相关。你看电影的时候会想到基督。你凡事都照基督徒的原则作决策。你会思想今天读经的内容。但是，如果你自然而透明地把这些想法都说出来，你的伴侣会觉得你很无聊，很讨厌，甚至觉得很受伤害。对方会说："真搞不懂你为何如此痴迷这东西。"你得把这一切全都藏好。

而另一个更糟糕的可能性是，你直截了当把基督从你意识的中心位置上挪出去。你得让自己对基督的热心冷却。你得刻意不去思想你的基督信仰与生活每个领域的关系。你会让基督在你的理智和情感中贬值，因为如果你继续以基督为中心，你就会感到自己与配偶疏远。

当然，这些可能的结果都是很可怕的。所以，你不应当故意找一个非信徒，就是和你信仰不同的人结婚。

在最全面的意义上感受"吸引力"。保罗关于婚姻的书信中，被误解较多的一节经文就是《哥林多前书》7:9，保罗说："如果不能自制，就应当结婚，因为结婚总比欲火焚身好。"很多人以为这是消极的观点。保罗似乎在说："哎呀，如果你因为自制力很差，控制不住自己的冲动，非结婚不可，那就去结婚吧！"但是，保罗根本不是这种消极态度。保罗是在说，如果你发现自己被某个人强烈吸引，你就要务必和这个人结婚。

保罗也说"为爱结合"是好事。圣经学者锡安巴(Roy Ciampa)和罗斯那尔(Brian Rosner)指出,保罗这里其实是在拒绝后期斯多葛主义观点,这种观点认为人不应当出于浪漫激情而结婚,婚姻的目的应当严格限于责任和生养后代。而且,保罗不像当时多数异教作者那样认为可以通过婚外私通来释放性欲。不,保罗说,你应该让你的情欲在婚姻里得到满足,并且只在婚姻里得到满足。所以,保罗教导说,彼此吸引是结婚的重要考虑因素。[21]

但是,让我们继续讨论本书一直在讲的婚姻使命。是的,配偶之间身体的吸引力是必须确然生发的,而且,如果你们一开始彼此吸引是源于另一种更深刻的吸引力,那么身体的吸引力一定会随着时间而增长。这种更深层次的吸引力,我称之为"全面的吸引力"。这是什么意思呢?

其中一部分意思是:受到对方的"品格"或圣灵的果子所吸引(加 5:22 及以下)。美国早期哲学家乔纳森·爱德华兹说,任何人里面的"真实的美德"——从福音而来的满足、平安和喜乐——都是美好的。我们已经讲过,婚姻可以让我们互相帮助,让双方成为荣耀的、独特的人,就是神正在我们里面塑造的新人。婚姻伴侣可以彼此说:"我看见你现在的变化和你将来的样子(尽管,说老实话,你还得努力)。你将来的光彩会更吸引我。"

归根结底,你的婚姻伴侣应当是你"神话"(mythos)的一部分。C.S.路易斯说，有一根“神秘之线”会把每个人最喜欢读的书、最喜欢听的音乐、最喜欢去的地方和最喜欢的消遣串连起来。有些东西会触发你心中“难以满足的渴望”，这种渴望让你连接于这根“神秘之线”的源头，也就是神自己。伯恩斯坦(Leonard Bernstein)说，贝多芬的第五交响曲总让他相信神的存在(尽管按照理性，他是个不可知论者)。贝多芬的第五交响曲在我身上没有这种效果。但每个人总有某个东西特别感动他，让他渴望天堂、上苍或神将来的国度(尽管很多非基督徒只知道心里莫名地渴望“某个东西”)。这就是所谓的“神秘之线”。

有时候，你会遇到一个人，你们有同样的“神秘之线”，你们相见恨晚，于是这个人成为这根“神秘之线”的一部分。这种东西显然很难讲清楚。

你应当在将来伴侣里面寻找的，正是这种全面的吸引力。有很多人选择配偶的依据是外表和钱财——不看重品格、使命、将来以及“神秘线索”——结果发现他们找了一个自己并不那么尊重的人。你可以有意识地放弃原先默认的“金钱、外表、面子”这些筛选模式，然后寻找对某个人的感觉，也就是这种全面的吸引力。如果你这样做，就会发现(可能一开始会吓一跳)，自己所喜欢的是某些按照原先的评价标准不会予以考虑的人。

不要过早燃烧激情。原先那种上门求婚做法的最大优点就是，男女双方可以在一个比较自然的环境中——例如，在家庭生活、教会生活和社会群体生活中——彼此认识。性格的评估和全面的吸引力，需要一定时间才能形成。而现代约会和“勾搭”文化会让两人迅速进入性关系，而这样会立刻进入一种浪漫的沉迷感。本书前面讲过，这种感觉会阻碍人真实地评估对方。那种持续一生的爱情，不仅要有美好幸福的感觉，还要有一言九鼎的承诺，驱使我们去满怀喜乐、毫无怨言、甘愿舍己地服侍另一个人，哪怕在逆境中感觉变得干枯冷漠的时候，仍然矢志不渝。这种爱情才是基于全面的吸引力，你喜欢的是这个人的品格、这个人将来的样子和生活使命。在约会早期，强烈的情感会席卷我们，这种情感表面看来是深爱对方。劳伦·温纳说得好：

当我们“爱上”某人的时候，我们常常看似在服侍我们所爱的人，而实际上我们做的恰恰相反。与其说我们在照料关心，不如说我们在急切求取。我们利用对方来荣耀自己，我们和所爱的人在一起感到如沐春风，因为我们喜欢对方身上所反映出的自己的形象……这正是基督之爱的对立面。此对立面就是只关乎我自己，甚至把我的爱人当作偶像——这对初恋者当然是一个危险——也全是关乎我自己。尽管我貌似关心对方，但其实我只在乎自己，因为我并不真的把对方看作神所造的人、神所救赎的人，而是想象他是完美的，好像英雄一样又崇高又伟大，是为我量身打造的，正合乎我所需。[23]

这种迷恋能够迅速消失，并变为敌意和苦毒，这证明双方原本就没有全面的吸引力，没有真爱。今天的恋爱关系经常从盲目迷恋变成盲目仇恨，刚开始的时候完全无视对方的严重缺点，后来则变得暴怒、绝望，完全无视对方的任何优点。

那该怎么办呢？我给今天很多年轻人作过辅导，他们常说，结婚之前最好在一起住一段时间，贸然结婚是不明智的。我给他们讲前面几章的道理——统计数字表明婚前同居的夫妇更可能离婚，他们往往露出怀疑的神色。而今天的“约会”，只不过是新一轮的玩乐和性事。我已经发现，很多人同居是因为他们没有别的方式来继续深入了解对方，他们无法深入对方的生活去评估他们的品格。

然而，当两个基督徒一同参与信徒群体生活的时候，他们有很多机会进入另一个人的世界，观察他们平时的真实状态。你们一起服侍穷人，一起参加查经和团契，或参加公共崇拜，因此得以进入对方的“前门走廊”，而在信仰群体之外则很难做到这一点。

有一个办法可以判断你们是否已经度过迷恋期，你们可以问自己一系列问题：你们经历并解决了一些严重的冲突吗？你们走过了一轮悔改和饶恕吗？你们双方都向对方证明自己可以因为爱对方而改变自己吗？有两类情侣会说没有。第一类是，他们从来没有发生过冲突。这说明他们可能还在迷恋期。第二类是，他们关系很紧张，并且为同样的事情反复发生冲突。这说明他们还没有学会人际关系中最基本的技巧：悔改、赦免和改变自己。这两类情侣一定都没有预备好结婚。

应该如何避免因过早唤醒激情而造成的盲目和情绪反复呢？一个关键的办法就是婚前避免发生性关系。下一章要讲婚前守贞这一古老性伦理的基督教理由和圣经依据。但实际情况是：性活动会诱发深处的激情，让你无法确切了解另一个人。因此需要先发展友爱，后发展性爱。[24]

然而，如果某人不愿意与你订下终身，那就不要作对方的假恋人。虽然有些情侣过早地确定了关系，但有些情侣又走到另一个极端，其中一方很不愿意走向婚姻。如果两人的关系已经拖了几年，又没有迹象表明可以继续深入或走向婚姻，那可能说明其中一方认为目前的关系令人满意（虽然不如婚姻那么密切），可以得到自己想要的一切，因此不需要进入最后的委身阶段。

凯西和我在大学的时候就观察到这种现象。我们称之为“贱女友综合症”，因为通常情况是：女方想结婚而男方不想。有时候一对男女会长时间待在一起。这意味着这个男子有一个女伴可以陪他去各种场合（如果他想有人陪），有一个异性可以陪他聊天（如果他想找人聊天），有一个支持他的聆听者（当他遇到麻烦，需要卸下担子，她可以耐心地听他抱怨)。如果这种交往不牵涉到性关系,男方会对别人说,他和这个女子连约会都算不上,他们没有逾雷池半步。如果她找他对质,他可能会说:"我从来没有说过我们是超友谊关系!"其实这并不公平,因为他们确实不仅仅是朋友。男人从哥们关系中得不到这么多。他自己不用付出就得到了婚内的许多好处,女方却伊人憔悴,黯自神伤。

我和凯西庆幸自己有这种远见卓识,却从来没想过这一现象有朝一日会用在我们自己身上。

然而,我和凯西认识几年之后,我们的关系也经历了这种考验。当时,凯西发现我们之间正好处于上述状况,于是发表了一番讲话,我们家称之为"投珠于猪"的讲话。我当时刚刚不幸结束一段恋情,正在恢复期,尽管彼此还是很好的朋友,也没有怨恨,但我仍然觉得很受伤。我常向凯西倒苦水,她耐心倾听,表示理解,直到有一天,她实在忍不住了,"嘿,我受不了。我一直希望从普通朋友升级为女朋友,可是我在情感的天平上为自己不值——我感觉你在拒绝我。所以我不能一直这样下去,没完没了地盼望有一天你希望我们不仅仅做朋友。我不是说我是珍珠,也不是说你是猪,但耶稣对门徒说不要'投珠于猪'的一个理由,就是猪不懂得珍珠的价值。猪以为珍珠是石头。如果你认为我对你没有价值,那我不会一直投入自己去陪你,盼啊盼的。我做不到。我觉得你在拒绝我,不管你是不是故意的,这种感觉太难受了。"

这是她的原话。我如梦方醒。这段话让我花时间反省。过了几个星期，我作了正确的决定。

多听取大家的意见。早先那种上门求婚的模式中，朋友和亲属可以给你许多重要的建议，帮助你选择配偶。有些新的基督徒群体希望重拾从前的做法，鼓励单身者多听取家人的意见，尤其要听父亲的话，甚至近乎包办婚姻。但是，连正统犹太教群体也知道包办婚姻行不通，尤其离家多年的单身者更不可能接受这种形式。另外，很多单身基督徒的父母并不了解基督徒信仰，所以无法正确引导他们。然而，基本原则是正确的，也是重要的：婚姻不能仅仅成为个人的、单边的决策。这一点非常重要，而且我们个人的视角很容易失之偏颇。基督徒群体里不乏已婚者，他们有许多智慧可以分享给单身的人。单身者走向婚姻的每一步，都应当听取基督徒群体的意见。

实际上，我还有话要讲。基督徒群体在你的生命里投入很多，而且可以从你健康幸福的婚姻支取丰厚利息。基督徒婚姻应当成为集体事件。也就是说，已婚的基督徒应当努力与群体里的单身者和其他已婚者分享婚姻生活。应当鼓励基督徒开放家庭，邀请其他基督徒到家里做客（彼前4:9），这不仅意味着邀请单身基督徒进入他们的屋子。根据《罗马书》12:10，我们“要以手足之爱彼此相亲”，这意味着邀请别人来了解我们的生活。神呼召我们彼此敞开。“已婚者应该向未婚者分享真实的婚姻生活，其中一个办法就是让他们同样看到婚姻当中艰难、冲突的部分，而不仅仅是美好、轻松的部分。”[25]想象一下那样做会产生怎样的效果！单身者不仅会看到婚姻多么令人满足，还会看到婚姻多么艰难，又是多么荣耀。要实现这一点，唯一的办法就是已婚的人向单身者真实地分享自己的生活，这样他们才能知道婚姻的本相。

婚姻是神给教会的恩赐。通过基督徒婚姻，福音的故事——关于罪、恩典与和好的故事——可以在教会里、在世界上被看见、被听见。基督徒婚姻就是宣讲福音。这就是为什么基督徒婚姻如此重要。坚固美好的婚姻让基督徒群体受益匪浅，因此，扶持单身基督徒稳妥地走向婚姻，也是基督徒群体的利益所在。单身者千万不可自行其是，结婚绝非只是一个人的事。

第8章 性爱与婚姻

为了这缘故，人要离开父母，与妻子结合，二人成为一体。

《以弗所书》5:31

讨论婚姻，就不能不谈性，“性与婚姻有何关系?”这个问题包含两个层面。首先，在基础层面，我们需要明白圣经基本的性伦理——为什么神严格限制性行为于婚姻之内?然后，一旦我们明白并接受了圣经的道理，随之而来的问题是:作为基督徒，不论单身或已婚，我们应当如何活出圣经的道理?

性爱只是自然欲望？ 不是

历史上有数不清的性观念。首先，有一种观念认为，性爱只是一种自然欲望。这种观念大致可以这样描述：性爱一度受困于各种禁忌，但现在我们明白，性爱其实无异于吃喝，是一种美好的、自然的欲望。这意味着，我们可以为了满足欲望而随心所欲。并且我们没有理由不吃遍天下美食，完全可以不停地四处尝鲜。禁欲——禁止满足一种自然欲望或长年加以限制——就和长期禁食一样，是不健康的（实际上也是不可能的）。

另一种性观念则比较消极，它来源于某些古代思想。这种观念认为性爱属于低级的、感性的、肉体的本性，与之相对的是高级的、理性的、属灵的本性。按照这种观念，性爱是低俗的、肮脏的，只是人类繁衍的权宜之计。这种观念在当今世界仍然很有影响。

今天还流行第三种观念。第一种观念把性爱视作人生不可或缺的驱动力，第二种观念认为性爱只是权宜之计，但第三种观念认为，性爱是自我表达的必要形式，是"成为自我"和"发现自我"的途径。按照这种观念，某些人或许愿意在婚内享受性爱并且建立家庭，但这取决于个人的选择。性爱主要是为了自我满足和自我实现，任何追求方式都没问题。

很多人以为，圣经对待性爱的态度是第二种观点——性爱是卑鄙的、肮脏的。但事实并非如此。圣经的观念迥异于上述每种观念。

性爱仅仅是欲望吗？诚然，性爱是欲望，但性欲与食欲和睡眠欲不可同日而语。实际上，即使是食欲也不能毫无节制，不论这种食欲多么强烈。很多人必须努力控制饮食，因为他们的食欲远远超过身体实际所需。然而，性驱动力需要更严格的管理。性活动不仅影响我们的身体，还影响我们的情感、我们的内在生命。人的罪恶首先是内心的紊乱，并且主要是这点，因此罪会极大地影响我们的性行为，它使我们对性的激情和欲望被扭曲。性爱本是为了全然舍己。然而，内心的罪恶却让人想用性来满足私欲，而非舍己，所以圣经设立了许多规则，引导我们以正确的方式来使用性。[1]

基督徒的性伦理可以这样来总结：性行为只在婚姻之内适用于一男一女。

性爱是肮脏的？ 不是

性爱是否像某些人说的，既肮脏又不体面？不是。合乎圣经的基督教对待身体的基本态度是积极的，说不定还是各种宗教里最积极的。基督教说，神创造了物质和人的身体，并且看为“很好”(创 1:31)。又说，在耶稣基督里神自己真实地取了人的身体(他现在仍然拥有这个得了荣耀的身体),并且有一天他要赐给我们那完美的、复活的身体。圣经说,神起初就创造了性别,并且将一女一男赐给彼此。圣经包含许多伟大的情诗,这些诗歌赞美性爱的激情和愉悦。若是谁说性爱本身邪恶而肮脏,整本圣经都会反对他。

神不仅允许婚内性行为,并且命令夫妻必须过性生活(林前7:3—5)。《箴言》鼓励丈夫爱抚妻子并陶醉于性爱(箴5:19;比较 申24:5)。《雅歌》常常赞美婚内性爱何等快乐,语言之露骨叫人面红耳赤。旧约学者朗曼(Tremper Longman)写道:

> 在整卷《雅歌》里,女性的作用确实令人震惊,尤其是考虑到这本书的古代背景。在组成《雅歌》的这些诗歌中,主导的声音是女性而非男性。她是寻觅者、追求者、主动者。在《雅歌》5:10—16,她大胆地说对方的身体让自己着迷:[“他的躯体如象牙块,周围包着蓝宝石”(14节)]……大多数英语版本的翻译面对这节经文踌躇不前。希伯来原文情欲色彩浓厚,而很多翻译实在做不到如此明目张胆……这是两人做爱的序曲。被子下面根本不是羞答答见不得人的笨拙动作。正好相反,两个人彼此坦然面对,情欲勃发,丝毫不觉羞耻,只有云雨之欢……[2]

圣经让假装正经的人很难堪!

性爱是私事？ 不是

然而，性爱主要是一种手段吗？只是为了追求个人幸福和个人满足吗？不是。但这并非是说性爱与快乐无关，也不意味着性爱只是尽义务。基督教认为性爱主要是建立关系的途径：人通过性爱来认识神，建立人类群体，并且，如果你使用性是为了这些正确目的，而不是为了满足私欲，那么性爱就会带来极大的满足，远远超乎你的想象。[3]

圣经第一次明确提到性爱，是在《创世记》2:24。这节著名的经文，保罗在《以弗所书》5 章也引用了。男女要“结合”，成为“一体”。初读这节经文，它似乎只是在讲身体的连合，性的连合。虽然经文包含这个意思，但并非如此简单，而是另有深意。圣经（和合本）说，“凡有血气的”都在地上败坏了行为（创 6:12），或说，神要把他的灵浇灌“凡有血气的”（珥 2:28），圣经的意思不是说只有身体会犯罪，也不是说神把他的灵赐给一切身体。其实这里是说，神把圣灵赐给各个种族、各个阶层的人。“血气”是一种修辞手法，作者用部分来代表全体（正如我们常说的“数人头”）。

换句话说，婚姻是两个人完全结合，这种结合极其深刻，两个人实际上成为一个新人。“结合”这个词（在古老的英文版本中，这个词译作“cleave”，意为“紧贴”），意思是“结盟、立约”。性的盟约把两个人生活的每个方面都结合为一体。两个人在本质上融合为一个法律单元、一个社会单元、一个经济单元。他们失去了自己的独立性。在爱里，他们把自己全然奉献给另一位。

所以，把婚姻称为“一体”，意味着性爱既是一个记号，又是一个途径：性爱既标志着生命的、法律的连合；又成就了这种连合。圣经说，不要与人发生身体的连合，除非你愿意和这个人在情感、生命、社会、经济和法律关系上全部连合。如果你不愿意把自己的每个方面都暴露给对方，就不要裸露身体，因为你在婚姻里已经放弃了自由，情愿自我约束。

然后，一旦你在婚姻里舍弃自己，性爱就成为合一的途径：随着年岁流逝，两个人借着性爱保持连合，并且不断加深连合。旧约常常提到“盟约更新礼”。每当神与他的百姓立约，他总是命令他们必须定期举行仪式，在这些仪式上，众人一起宣读盟约，重申委身，纪念盟约的内容。这种礼仪必不可少，它帮助百姓保持忠心。

婚约也是同理。人结婚的时候，需要向配偶庄重宣誓——圣经称配偶为“盟约的伴侣”（箴 2：17）。结婚是大喜的日子，让人心里感到满足。但是，随着时间推移，你需要重新点燃内心的火焰，重申彼此的承诺。你需要一个更新的机会，回想另一个人对你的意义，重新奉献自己。夫妻之间的性爱就是这样一个途径，并且这个途径是最好的途径。

实际上，性爱可能是神所造的用来帮助你向另一个人完全委身的最得力的工具，你不能贬低性爱。神使用性爱这个途径来让两个人彼此宣告："我完全属于你，永远属于你，单单属于你。"

所以，根据圣经，盟约对于性爱而言是必须的。盟约创造了一个柔软而亲密的安全区。尽管婚姻的盟约对于性爱是必要的，但性爱对于维持盟约也必不可少。性爱是婚姻盟约的更新礼。

性爱是使人连合的行为

有一位常受误解的圣经作者，一般人都以为他对性爱持消极看法，这个人就是圣保罗。但是，如果我们仔细研究保罗本人的话，就会发现事实并非如此。

在《哥林多前书》6:16及其后的经文中，保罗禁止基督徒与妓女行淫。但他的理由却让人眼前一亮：

> 你们不知道那跟娼妓苟合的，就是与她成为一体了吗？因为经上说，"二人要成为一体。"……你们要逃避淫乱的事。……你们不是属于自己的，因为你们是用重价买来的。所以你们务要用自己的身体荣耀神。（林前6:16，18，19—20）

这意味着什么呢？显然，"一体"（one flesh）对保罗而言，不仅仅意味着性的连合，否则保罗就纯粹是在做无谓的重复，“你们不知道那跟娼妓苟合的，就是与她成为一体了吗？”显然，保罗也明白，这里的“成为一体”，意味着成为一个人（person）。“一体”是指一男一女在他们生命所有层面上的结合。这样看来，保罗是在谴责只有身体连合，而在生活其他层面不连合（每个性行为都应当反映一切层面的连合）的丑态。[4]

贝利（D. S. Bailey）在他《基督教思想中的两性关系》（*The Man-Woman in Relation in Christian Thought*）一书中说，新约和保罗的性观念，在人类思想史上是石破天惊、史无前例的创新：

> 这里［保罗］的思想迥异于前代的任何观念，并且展现了一种深刻的心理洞察力；他对人类性行为的看法，按照公元一世纪的标准，完全是石破天惊的。使徒保罗否认性爱仅是性器官的简单接触。正好相反，他认为性爱是一种极其复杂的行为，是全人的参与和全人的表达，构成了一种自我呈现和自我奉献的独特模式。[5]

简而言之，在保罗看来，与娼妓发生性行为之所以不对，是因为每次性行为都应当是使二人合为一体的行为。保罗认为，当一个人把他的身体奉献给另一个人，而又不愿意同时将整个生命也奉献给这个人，这根本就是自相矛盾。

C. S. 路易斯把婚外性行为，比作只是品尝食物而不吞咽消化。这个比喻是很恰当的。

性爱是彼此献身的途径

现代的性解放运动认为，婚前守贞是不现实的，甚至是荒唐可笑的。[6] 实际上，有很多人相信，婚前守贞是不健康的，是有害的。但是，尽管当代人对婚前守贞普遍持怀疑态度，但这却是所有基督教会（包括东正教、天主教和新教）明确一致的教导。

但是，圣经提倡婚前守贞不是因为圣经鄙视性，反而是因为圣经重视性。圣经的性观念表明，婚外性行为不仅在道德上是错误的，而且对人自己的生命也是有害的。既然神设立性爱的本意是让它成为盟约的一部分，是为了让人体验盟约的更新，那么我们就应当把性爱视为一种神圣的途径，可以帮助我们彼此委身。

既然性爱是神所设定的圣礼，用来表达委身和舍己，那么性爱自然会让我们刻骨铭心，感到自己与另一个人深刻地连合，即使不当的性行为也是如此。除非你刻意地抑制它，或因习惯而麻木，失去最初的冲动，否则，一旦你与另一个人身体连合，就会觉得自己的内在生命与另一个人相互交织，彼此融合。在体验性爱的过程中，你自然地想说些海誓山盟，例如“我永远爱你”之类的话。哪怕你们没有法律上的婚姻关系，也觉得有一种婚姻般的纽带，将你们连在一起，感到另一个人对你负有某种义务。但是，另一个人事实上对你并没有法律的、社会的或道德的责任，甚至不用第二天上午给你打个电话。这种落差会带来嫉妒、伤害以及占有欲。如果两个人在婚外发生性关系，必然会是这种结果。这让分手变得很困难。因此，很多人受困于不良关系中，是因为他们感到自己与对方(多多少少)是不可分割的。

所以，如果你在婚外有性关系，你就得迫使自己心肠变硬，免得让性爱的强大力量软化你，你得逼自己别心软，别让对方信任你。问题在于，这样一来，性对于你而言，最终会丧失盟约的效力，哪怕有一天你真的与其结婚，也会感到平淡无趣。讽刺的是，这样一来，婚外的性关系最终会起反作用，让你既无法信任别人，也无法奉献自己。

贞洁的生活

如果你立志，作为一名单身者，要持守基督徒伦理，并在婚前守贞，会怎样呢？当然，这不是件容易的事，尤其在当代文化里，周围的人可能都不支持你的信仰。但是，如果你遵循以下几个原则，就可能获得成功。

首先，你需要将基督视为你灵魂深处真正的配偶。性生活是为了进入完全委身的亲密关系，因为性爱让我们预先品尝天上的喜乐，就是借着基督得以与神完全连合的喜乐。一个男人和一个女人在地上最美好的爱情，也只是天上完美爱情的一个影子而已（罗 7：1—6；弗 5：22 及以下经文）。明白了这一点，对我们很有益处。我们之所以会欲火焚身，似乎控制不住自己，一个原因就是，在那个时刻，我们内心相信，如果我们得到浪漫的性体验，我们内心最深的渴望就能得到最终的满足。

为了抗拒这种诱惑，我们得用真理说服自己的情感。我们必须提醒自己：无论我们的灵魂多么渴望在情欲中得到满足，性关系都无法满足我们最大的需求。只有面对面地认识基督，才能填满我们内心的空虚，就是我们与他关系破坏之后，罪所造成的空虚。但我们蒙召，并非仅仅等候将来体验基督完全的爱。圣经告诉我们，我们不仅可以在头脑中知道他爱我们，还可以真实地体验到他的爱，就在此时此地（罗 5：5；弗 3：17 及以下经文）。借着祷告，我们就得着了这种爱。

另外，要走这条圣洁之路，单身基督徒还需要参与基督徒的群体生活。

他们应该与其他单身基督徒互为肢体，相伴同行。这些人既不是结婚狂，也没有恐婚症。他们不照世俗的标准（外表和财富）择偶。此外，单身的基督徒还要多与成熟的基督徒家庭交往，这些家庭既不会将婚姻生活神化，也不会让单身者感到自己是多余的人。

这种群体生活的另一个标志是，大家可以自由而坦率地讨论如何在实际生活和人际关系中去实践圣经的性观念。单身和已婚的基督徒越是经常思考这方面的圣经教导，单身者在遵行教导时就越能感受到更多的支持。最重要的是，那些渴望浪漫关系、但又拒绝婚前性行为的单身基督徒，他们需要一个足够有力的基督徒群体，其中要有许多志同道合的单身者彼此支持。

有些人看了上面两段话会说："可是没有这样的教会啊！"确实很难找到这样的群体，而且，作为牧师，我承认自己的教会在服侍单身基督徒方面也有起伏，而且常常无法为单身基督徒提供上述群体生活。我想敦促读者自己采取行动，在自己的教会里创造条件，或者出去开辟新教会，从一开始就重视这种群体生活。

最后，关于性的想法和欲望，我们不能走极端。有些基督徒只要一有关于性的想法或者性幻想，就觉得自己非常肮脏。而另一些人则乐在其中，不可自拔。但是，福音既不是律法主义，也不是反律法主义。基督徒不是靠顺服得救，但真正的福音一定让基督徒感恩，并且因感恩而顺服。这会让我们非常平衡地对待各种思想和试探。例如，路德有一句关于性欲的名言，"你不能阻止小鸟从你头上飞过，但你可以阻止小鸟在你头上筑巢。"他的意思是，我们不能阻止心里产生与性有关的想法——这些想法是自然的，不可避免的。但是，我们有责任克制自己的行为，不要任凭这些幻想引诱自己犯罪。我们千万不能沉溺其中，并以此为乐。

如果我们有不道德的性行为，就应当让恩典的福音对我们的良心讲话。基督的福音既不以有罪为无罪，也不会让你不断鞭挞自己，并堕入无穷无尽的罪恶感。我们做错事之后，必须得到福音的赦罪之恩和洁净之力。我们常常发现一种现象：从前的过犯所导致的那种无法摆脱的羞耻感，常常会激发现在的、无法克服的性幻想。

内心的对话

究其根本，基督徒能够践行基督教的性道德，不是靠方法，而是靠信念。在经典小说《简爱》中，简爱深深地爱上罗切斯特，但她发现罗切斯特并非单身，而且他的疯妻就住在楼上。然而，罗切斯特却请求她当情妇。这在简爱的心中掀起一场风暴，引发了一场激烈的冲突。

……他一边说，我自己的良心和理智一边背叛我，说我不该反对他。我的良心和理智向我大喊，声音几乎和我感情的声音一样大，而我的感情正在冲我咆哮。“哦，屈服吧！”它说。“想想他的痛苦，想想他的危险——看看他一个人多么可怜；别忘了他这人多么冲动，想想他绝望之后会干出怎样鲁莽的事——安慰他吧！拯救他吧！爱他吧！说你爱他！说你属于他！有谁在乎呢？你和他在一起又能伤着谁呢?”

简爱发现,在自己的灵魂里面,有良知,有理智,还有情感,而它们全都起来反对她,说她应当听从罗切斯特先生的话。罗切斯特先生又孤单又可怜——她可以安慰他。罗切斯特先生有钱,又爱她——简爱受了一辈子苦,理该享受生活。但她却一口拒绝:

但我的回答依旧桀骜不驯:“我在乎!”我越孤单,越没朋友,越穷,我越要自重。我要遵守上帝所赐、人所认可的法律。我要坚持原则,就是我清醒时,而非现在这样发疯时所领受的原则。法规和原则不是为了没有试探的时刻而设,而是为了充满试探的时刻而设,正像现在这样,我的身体和灵魂一起在抗拒,指责法律过于严苛。法律和原则确实严格,并且不容违抗。要是我为了贪图自己方便就可以违背法律,那法律还有什么价值?法律是有价值的——我向来相信这点,而且,要是我现在不能相信法律的价值,那是因为我疯了——真够疯的:我现在血脉贲张,心跳加快。我此刻只能依靠以往的观念和既定的决心:我要死守这个立场。

我守住了。

《简爱》已经多次改编为电影和电视剧,就我所知,每次演到这里，当罗切斯特提出难以抗拒的请求时，影视剧总是无法表现出简爱内心的激烈冲突。我们只能听见简爱说着类似这样的话："我要自重。"所以，当代观众得到一种错误的印象，好像简爱是靠维护自尊来抵抗诱惑。似乎她不是在说"当罗切斯特先生的情妇不合乎基督教的道德"，而是在说这件事贬低了她自己的尊严。我看过的所有版本的电影都给人一种印象，好像她在审视自己的内心，并在心里找到内在的自信和自尊，从而拒绝当情妇。

但其实并非如此。简爱并非从自己内心寻找力量——她心里毫无力量，只有激烈的冲突。她不愿听从神的话语，在那个时刻，她的情感和理智都在大喊：神的道德律根本没道理。这些法律显然既不合理，也不公平。但是，简爱说，如果法律于己不便就可以违反，那法律还有什么价值呢？如果你只在自己方便的时候——就是你觉得神的话合理或对你有益的时候——才听神的话，那根本不叫顺服。顺服意味着你承认别人的权威超过你，哪怕你不赞同。神的律法是为了充满试探的时刻而设，就是"身体和灵魂一起在抗拒，指责法律过于严苛"的时候。

可见，简爱之所以能坚持立场，在于她坚守神的话语，而不是坚持自己的感觉或激情。这是我所见过最清晰、最有力的基督徒内心独白，它说明独身的基督徒如何在心里胜过试探。你们也要学会如何守住立场。

性爱在婚姻中的重要性

我们发现许多经文都告诉已婚夫妇要享受性爱，并且要经常过性生活。既然圣经把性爱限制于婚姻之内，我们就没必要对此感到诧异。我们已经提到《雅歌》和《箴言》5:19令人大开眼界的经文，这些经文鼓励丈夫享受妻子的身体。在《哥林多前书》7:3—5，保罗提到性关系在婚姻中的现实性和重要性，他的话坦率得惊人：

> 丈夫对妻子应该尽他的本分，妻子对丈夫也应当这样。妻子对自己的身体没有主权，权在丈夫。照样，丈夫对自己的身体也没有主权，权在妻子。夫妻不可彼此亏负，除非为了要专心祷告，双方才可以同意暂时分房。以后仍要同房，免得撒但趁着你们情不自禁的时候诱惑你们。

当时，人们普遍认为女人是丈夫的合法财产，在这种文化环境里，保罗提出一个翻天覆地的主张："丈夫对自己的身体也没有主权，权在妻子。""这句话表明，在消极的意义上，丈夫有责任约束自己，不与妻子之外的任何人发生性关系；在积极的意义上，丈夫必须对妻子尽婚姻义务，让妻子感到愉悦和满足。"[7] 这沉重地打击了传统的双重标准——男人拥有多个性伴侣既光荣又合法，但女人这样做则被视为淫贱。加上前面所说“妻子的身体也属于丈夫”，保罗在教导我们：配偶双方，不论男女，都有性权利。这种主张是前所未有的。

当代读者喜欢这节经文，是因为他们以为这节经文支持当代西方的人权观念，但这根本不是保罗的重点。保罗让我们以一种非常积极的观点来看待婚内的性愉悦。当时的哥林多信徒深受罗马文化的影响，而罗马人认为，“男人娶妻是为了生养合法继承人，如果想得到性愉悦，要到婚姻之外去找。”然而，历史学家指出，“保罗实际上重新定义了婚姻，在保罗看来，婚姻是一个美好的氛围，可以让双方得到性满足。与之形成鲜明对比，异教哲学思想认为，婚姻的目的仅仅是合法地繁衍后代，让儿女继承家族的姓氏、财富和荣耀传统。”[8] 换句话说，保罗是在告诉已婚的基督徒：彼此成全的性关系，必须成为夫妻共同生活的一部分，并且是相当重要的一部分。实际上，这段经文表明，夫妻性爱应当是经常的、互惠的，一方不能拒绝另一方的性要求。

性福的婚姻

我相信《哥林多前书》7 章的这段经文是一个重要的资源，可以指导基督徒的实际生活。夫妻双方都要十分关注给予、而不是得到性愉悦。简而言之，最大的性愉悦应当是看到配偶得到性满足。如果你达到这一地步，即给予对方性满足是最令你兴奋的事，你就是在实践这个原则。

当我为本章做研究的时候，我找出凯西和我从前的一些对话。我已经忘了我们结婚之初曾有的一些挣扎，有些笔记让我想起当年我们曾对性生活心存恐惧。凯西在笔记里说，如果她没有在做爱的时候体验到性高潮，我们两个人都会觉得很失败。如果我问她感觉如何，而她只是觉得疼，我就会觉得像天塌了一样。她也是这样。我们当年有许多困扰，直到后来我们开始有了新的认识。凯西在笔记里写道：

> 后来，我们终于体会到性高潮的美好，特别是双方同时达到高潮的时候。但即便没有高潮，两人融合为一体的那种敬畏感、安全感和喜悦感，也会激动人心，绝妙无比。并且，一旦我们在性爱中不再努力刻意表现自己，只是努力去爱对方，一切就都得到改善。我们不再担心自己的表现不够好。并且我们不再关心自己得到了什么，而是学会说，“我怎么才能让对方更满意呢？”

这种想法也有利于解决婚姻中很多夫妻遇到的一个典型问题：一方对性的需求多，另一方对性的需求少。如果性生活的主要目的是给予对方快乐，而不是自己得到愉悦，那么，性需求较少的一方就可以把性爱当作礼物送给对方。这是表达爱的合宜行为，人们不应当鄙视这种行为，并反对说："哦，不不不。要是没兴趣千万别去做。"你完全可以把性爱当作一件美好的礼物送给配偶。

与此相关的是，很多夫妻因"什么是性生活的理想氛围"这个问题产生各种分歧。我愿意分享一下，作为男性，我不太在乎氛围如何，尽管这种观点不一定适用于每个男性，但容我斗胆直言，这几乎适用于任何时代、任何地方的男性。然而，我逐渐发现，这意味着有件事对我妻子很重要，而我对此却毫不关心。"什么氛围？哦，你是说诸如点燃烛光这样的情调吗？"而且，当然，凯西和其他许多女性一样，她的意思并不是一定要有烛光情调，而是要为性爱做好情感的预备。她的意思是两个人要温存、谈心……我明白了这件事，绝非一日之功。而且，我们发现，在性爱这件事上，彼此都要非常耐心。我们花了许多年才学会如何彼此满足。但事实证明，这种耐心是非常值得的。

性爱考验感情

圣经给我们一种崇高的性观念。性爱是一种合一的标志和印记，表明我们彼此合一，又与神合一。所以，我们生活中的问题当然会"暴露在床上"。若不是藉着性，你可能永远都看不到这些问题。这些问题包括负罪感、恐惧感或对过去关系的愤怒等等。性爱极其美好，并且极其敏感，所以在性生活中你无法隐瞒这些问题。除非婚姻关系处于良好状态，否则不可能有美满的性生活。因此要小心别被表面现象所蒙蔽。“性生活不和谐”或许根本不是因为缺乏做爱技巧，而是表明双方关系存在深层次的问题。一旦这些问题得到处理，性亲密度就会提升。

正如史密德所言，婚姻的一个基本规则就是：随着岁月的流逝，你不是与一个人结婚，而是与许多人结婚。生儿育女、生老病死，都会带来各种改变，夫妻双方需要妥善应对，既要积极经营，又要谨守己身，才能重温年轻时的性亲密。如果你不面对这些改变，如果你不调整自己，这些改变就会渐渐侵蚀你们的性生活。凯西和我常常把婚姻中的性爱比作引擎里的润滑油——没有它，各个运动部件之间的摩擦就会使引擎过热失效。倘若没有愉悦的、充满爱意的性生活，婚姻里的摩擦就会带来愤怒、反感、冷漠和失望。性爱不再是彼此委身的粘合剂，可以让你们彼此连合，而是一股排斥力，会让你们分开。你们要努力改善性生活，千万不要放弃。

性爱极其荣美

性爱是荣美的。就算没有圣经，我们也知道这点。性爱引领我们走向赞美——它让我们情不自禁发出欢喜的声音，大声赞叹。通过圣经，我们知道了其中的奥妙。《约翰福音》17 章告诉我们，在万古以前，父、子和圣灵彼此称颂，彼此荣耀，全然奉献自己，把爱和喜乐持续浇灌在对方心里（比较约 1：18；17：5，21，24—25）。夫妻之间的性爱，让我们得窥圣父与圣子之间完美的合一（林前 11：3），它反映了神喜乐的舍己和愉悦的大爱，而这爱是在三一神的生命本质里面的。

性爱是荣美的，不仅因为它反映三一神的喜悦，而且因为它指向人类灵魂永恒的喜乐，就是我们在天上与神、与彼此相亲相爱的喜乐。《罗马书》7：1 及以下经文告诉我们：最美满的婚姻指向我们最终与基督爱的连合，这种连合根深蒂固，充实无比，完美无缺。

难怪有人说，男女之间的性爱，可以让彼此在身体之内奇妙地体验到灵魂脱壳的感受。在那种欣喜若狂、心醉神迷、全然敞开的体验中，我们得以瞥见将来那难以想象的荣耀。

跋

婚姻不仅包含某种形式的人类之爱。婚姻不仅是浪漫的激情,也不仅是友谊、责任与服侍。婚姻包含所有这些东西,并且还有更多。婚姻的挑战真是让人难以招架。我们到哪里才能找到足够的力量来满足婚姻那排山倒海一般的要求呢?

十七世纪基督徒诗人赫伯特(George Herbert)写了三首关于爱的诗,但最有名的是最后一首,诗名就是《爱(三)》:

爱在款款相迎,我却踌躇不定,
因我尘垢满面,罪污满心;
爱却洞悉分明,
怜我进门之初,沮丧之情;
爱便般般走近

向我柔声问询，有何求禀？

“唯有贵客，配得莅临！”
“非你莫属，为我贵宾。”
“忘恩负义，无颜视君！”
“岂非我造，你之眼睛？”

“君言极是，但我已玷污自己！”
且让我蒙羞到底，罪得报应！”
“你之罪债，岂非我已承受？”
“君言极是，且让我为仆伺候！”
“你应坐下，且吃我肉。”
于是，我坐下，
于是，我吃肉。

爱(主人)请诗人(客人)进去坐席，可是，由于诗人晓得自己的罪孽，便自惭形秽，“踌躇不定”，并且退到门口。然而，主人却“洞悉分明”，看见诗人驻足，就来对他讲恩言，好像古时候客栈掌柜问客人:“您还需要什么?”客人回答说，他需要一样重要的东西——他感觉自己没有价值，不配得到爱。主人的回答既切合实际又充满信心:他要赋予客人价值。他并非因客人可爱而爱之，而是要用爱让客人变得可爱。

客人还是半信半疑，说他甚至不敢抬头正视主人。

这时候，这位神秘的主人终于显明自己的真实身份。“我就是那位造你眼睛的，你知道，并且我造它们本是叫你认识我。”客人现在晓得爱是谁了，所以称爱为主，但他心里还是感觉没有希望。

“且让我蒙羞到底，罪得报应！”

“你之罪债，岂非我已承受？”

即使客人怀有最深的恐惧和疑问，也无言以对这句回答。于是，主慈爱而坚定地命令他坐下。现在，宇宙的主宰，这位曾谦卑地为门徒洗脚的主，在桌前服侍他这个不配的宠儿。

“你应坐下，且吃我肉。”

“于是，我坐下；于是，我吃肉。”[1]

法国哲学家、作家和社会活动家薇依（Simone Weil）是一位犹太人和不可知论者。在1938年的一天，当她默想赫伯特这首诗的时候，突然感到基督的爱排山倒海一样袭来。“基督来到我面前，”她描述当时的情景，“一把抓住我。”[2] 此后，她成了一位承认信仰的基督徒。她从来没有想过、也没追求过这种体验。她也从来没有读过任何关于神秘主义的书，作为一个持不可知论的犹太人，她当然从未指望基督给她这种体验。然而，借着这首诗，基督在十字架上的牺牲，活化在她面前。“基督突然抓住了我……我在痛苦中感觉到一种爱，就好像一个被爱的人绽放笑脸那种自然流露的爱。”[3]

我们审视赞佩里尼信主的过程，发现基督爱的洪流让他可以立刻饶恕那些曾经折磨他长达几年的敌人。我们应当注意，属灵的成长并非总是如此。也要指出，薇依的体验并非普遍性的。赫伯特的诗是属灵文学的杰作，启迪了许多人，我自己也深受感动。但是，如果你想靠这首诗得到一劳永逸的属灵体验，消除一切怀疑和恐惧，那你很可能会失望的。

然而，归根结底，基督的爱是美满婚姻最坚实的基础。有些基督徒感到基督的爱好像狂潮，汹涌奔腾在他们枯干发硬的心田上；而有些人则觉得基督的爱温柔地渗入心田，如同细雨润物，薄雾袭人。但无论如何，人心都是一片土地，基督的爱浇灌在上面，各样的美德就纷纷生长出来。

亲爱的，我们应当彼此相爱。因为爱是从神那里来的……不爱人的，就不认识神。……神的爱就在我们中间显明了。不是我们爱神，而是神爱我们，差遣他的儿子为我们的罪作了赎罪祭，这就是爱了。亲爱的，神既然这样爱我们，我们也应当彼此相爱。从来没有人见过神。我们若彼此相爱，神就住在我们里面，他的爱也在我们里面得到成全了。（约一 4:7,8,9—12）

附录：

决策过程与性别角色

提姆和我(凯西)一向使用下面这些原则来引导我们在日常生活中的决策和对复杂问题的决策。这几大方针确实对我们很有帮助,希望你们也能从中获益。

- 丈夫在妻子之上的权威(如同圣子在我们之上的权威)绝不可用于取悦自己,只能用于服侍妻子。丈夫是妻子的头,这并不意味着所有事情都是丈夫说了算,也不意味着每次分歧都要听丈夫的。因为耶稣从不求自己的益处(罗 15:2—3)。仆人式领袖必须牺牲自己的想法和需要,造就对方(弗 5:21 及以下)。
- 妻子绝非逆来顺受,她应当善用各种资源行使权利。她要作丈夫最信任的朋友和顾问,正如丈夫也是妻子最信任的朋友和顾问。“完全”意味着拥抱他者，舍弃自己。“彼此补足”意味着丈夫和妻子需要彼此聆听，一起商讨。“完全”是辛苦的工作，需要在爱里彼此磨砺（箴 27:17），彼此存温柔的心（彼前 3:3—5），直到磨出刃来，彼此丰富，彼此加强。妻子必须把她的恩赐带入讨论，而丈夫必须知道应在什么时候采纳妻子的意见，并在自己知识不足的时候做出让步。

- 妻子并不是无条件地顺服。任何人都不应当无条件地顺服另一个人。彼得说：“服从神过于服从人，是应当的。”（徒 5:29）换句话说，妻子不应当服从或帮助丈夫做神所禁止的事，例如贩卖毒品或虐待妻子。例如，如果丈夫打妻子，那么妻子强有力的“帮助”就是去爱他，饶恕他，但也要报警抓他。让别人可以轻易伤害你，这绝对不是爱。
- 丈夫作头是为了服侍妻子和家人。有些人说：“根据圣经，丈夫和妻子都要彼此无私服侍，那么丈夫和妻子还有什么区别呢？”显然，子顺服子的头，就是父；而我们要顺服我们的头，就是基督（林前 11:3）。但是，这种权柄如何落实在两个享有同等尊严和地位的人之间呢？答案就是：除非作头的要确信妻子的选择会伤害她自己或伤害家人，只有在这种时候，他才能否决她的选择。丈夫作头不是为了自私的目的，不是为了买自己喜欢的车子，不是为了垄断电视遥控器，不是为了定夺到底是和哥们出去玩，还是留在家里帮妻子照顾孩子。

就是在这一点上，有很多人，包括男人和女人，误解了“男人作头”的意思。有些男人不明白什么叫“仆人式领袖”，或不愿意服侍妻子，他们认为只要是男人就可以作头。而妇女——通常是男人这种错误理解的牺牲品——也拒绝圣经的教导，认为这种教导贬低了她们的地位。

但在婚姻里只有两票。若无人让步，如何打破僵局呢？在很多时候，僵局被打破是因为双方都愿意让对方高兴。妻子愿意尊重丈夫的领导地位，而丈夫也愿意讨妻子的欢心。合乎圣经的健康婚姻若有这种良性循环，“否决”的情况就会很少发生。

可是，万一双方无法达成一致意见，而又必须做出决策，那该怎么办呢？总得有一方来投最终的决策票，并因此负更大的责任。

这就是圣经所说“作头的”要向神交差。这时候，双方都得顺服自己的角色。通常，聪明的丈夫不想作头，而聪明的妻子很想让丈夫作头！这时候有可能是混乱的，但神呼召我们去演好救赎之戏，在这场戏里，子甘心乐意让父作头，说：“不要照我的意思，只要照你的意思。”

1980 年代晚期，我们一家住在费城郊外一个很舒适的小区，提姆在神学院当全职教授。后来，他得到了一份工作邀请，有人请他去纽约市植堂。他很高兴，但我很担心。在曼哈顿养三个孩子，简直无法想象！不仅如此，凡是对曼哈顿有所了解的人，几乎没有一个认为这个植堂计划会取得成功。我也知道，对提姆来说，这可不是什么朝九晚五的工作。这个工作会拖累全家，耗掉我们几乎全部时间。

我知道提姆想去，但我非常怀疑这是不是明智的选择。我向提姆表达了强烈的质疑，他说："好吧，如果你不想去，我们就不去。"然而，我回答说："哦，别这样！你不能让我作决定。这是推卸责任。如果你认为这是对的，你就应该出头作决定。打破僵局是你的工作。我的工作是与神摔跤，一直摔到能乐意地支持你为止。"

提姆作了决定。我们搬到纽约，开始救赎主长老教会的植堂工作。整个家庭，包括我们的几个儿子，都认为这是提姆做过的最男人的事，因为他自己虽然非常害怕，但他觉得这是神的呼召。在这个关键时刻，提姆和我都顺服了我们各自的角色，尽管双方都觉得这个角色让自己感觉不舒服，但我们接受自己的性别角色，这显然是我们的设计者在我们里面作工，并且借着我们成就他的美意。

为什么女性在这种时候要顺服丈夫？我们必须拒绝"传统"的回答。传统说，"女性不够果敢。"但事实并非如此，很多妻子比丈夫更加果敢。那么，为什么神呼召女性顺服？我说过，这个问题的答案在于另一个问题：为什么基督舍了自己，让父作主？我们不知道，但这是基督伟大果敢的记号，而非优柔寡断的记号！神呼召女性要跟随基督的榜样。但记住，丈夫正确地行使作头的权柄，与妻子舍弃这个权柄同样困难。

致谢

我要感谢大卫·麦克考米克(David McCormick)和布莱恩·塔特(Brian Tart),他们的编辑技巧和文学造诣让这本书顺利脱稿。也感谢詹尼斯·沃斯(Janice Worth)、提姆(Tim)和玛丽·科特尼·布鲁克斯(Mary Courtney Brooks),他们让凯西和我可以抽身写完这本书。还要感谢詹妮弗·陈(Jennifer Chan)、麦克·凯勒(Michael Keller)、马丁·巴士尔(Martin Bashir)、斯考特·考夫曼(Scott Kauffmann),以及约翰(John)与撒拉·尼克尔(Sarah Nicholls),他们在本书出版前审读手稿并给出宝贵意见。

特别感谢劳瑞·科林斯(Laurie Collins),她第一个把录音转成文字拷给我们。同样特别感谢玛丽昂·金格莱尔·梅尔顿(Marion Gengler Melton),她也转录了一版,同样感谢其他为我们转录材料、希望这些内容成书的人。

感谢苏西·凯斯(Susie Case)和戴安(Dianne),她们资助并参与劳瑞的转录工作。我那些杂乱无章的长篇大论让她们的工作变得非常困难,但这更加证明了她们的工作有多么宝贵。

多年来,我们受到许多听过 1991 年“婚姻系列”讲道的人的鼓励。长期以来,很多听众给我们写信、打电话,督促我们把这些录音整理成文字。感谢所有给予殷殷叮咛,得以让本书出版的人。如今,这本书终于面世了!

最后,我们非常感谢本书中所提到的那些人,多年来,他们的友谊和引导使我们众人的生命得以丰盛成长,他们宝贵的智慧以各种形式出现在本书当中。朋友们,你们对凯西和我而言是何等重要!谨此深表谢意!

注释

引言

1 我，提姆，用自己的声音写这本书，因为这本书的大部分内容是基于 1991 年秋天我在纽约救赎主长老教会为期九周的系列讲道。然而，这本书也是两个人在三十七年婚姻生活中共同经历、对话、思考以及真正去研究、教导和辅导的产物。凯西和我一起逐渐认识婚姻。连那九篇讲道也是合作的成果：我们一起努力学习和理解，什么是基督里的婚姻。我只是作报告而已。

2 凯西十二岁的时候，给 C. S. 路易斯写了一封信，并收到路易斯的回信。这封信，她粘在自己那本《纳尼亚传奇》的封面内页上。路易斯给她写的四封信（《致凯西·克里斯蒂》）收录于路易斯的《致孩子们》（*Letters to Children*）以及《C. S. 路易斯书信集》（*Letters of C. S. Lewis*）第 3 卷。

3 C. S. 路易斯，《痛苦的奥秘》（*The Problem of Pain*，HarperOne，2001，150）。有趣的是，路易斯本人正是凯西和我的"神秘之线"的重要组成部分。

4《稳固根基》(*How Firm a Foundation*)由约翰·里朋(John Rippon)创作于1787年。

5 这本书必然涉及今天教会和社会中两个最具争议的问题:性别角色和性。我们依据的经文主要是《以弗所书》5章和《创世记》2章,这两章经文是今天的神学争议热点。这些经文里的术语,如"作头"和"帮助者",其内涵和现实意义受到广泛而热烈的讨论。具体的问题包括:男女在婚内是否有明确的性别角色,女性是否应当给予丈夫婚内的最终权威?第二个问题是关于同性婚姻。在这个问题上,经文本身是明确无误的。圣经明确认可异性之间的结合,并且严禁同性性行为。实际上,我们会看到,合乎圣经的婚姻的一个主要目的,就是建造深刻的、跨性别的伴侣关系。然而,在我们的社会中,很多人倡导同性婚姻权,并且这种观点正在成为喧嚣至上的主流思想。

写一本论婚姻的书,若不去处理这些问题的实际假设,是不可能的。根本不可能保持中立。因此,本书就男性的领导地位、性别角色和同性恋等问题,谨慎地表达了传统基督教的观点。脚注解释了我们为什么采取这些立场的圣经依据。然而,脚注不可能无所不包。这本书的意图不是讨论所有观点,回应一切有力反论。不,我们的目的是在书里尽量周全地陈述这些观点,使用这些观点,以表明这些观点如何适用于实际的婚姻生活。同时,我们鼓励读者接受这些观点,并在他们思考婚姻生活前景时加以验证。

6 我们将在后面详细讨论这些问题,主要是在第7章和第8章。

7 我很清楚,我所讲的信条(圣经关于性和婚姻的教导是前后一致、极具智慧的)一直遭到流行文化的猛烈抨击。Jennifer Knust所著的 *Unprotected Texts*:*The Bible's Surprising Contradictions*

About Sex and Desire（HarperOne，2011）就是一个例子。Knust说，圣经先是接受多配偶制和卖淫制度（旧约某些章节），然后又加以禁止（新约某些经文）。她的结论是：因此，总体而论，圣经在性和婚姻问题上，没有提供前后一致的教导。

例如，在引言里，她写道："圣经不反对卖淫，至少不是一贯地反对。例如，圣经里以色列人的先祖犹大外出经商的时候，在路上招妓，并不以为羞耻……只是后来，当他听说这个'妓女'实际上是自己的儿媳他玛，才勃然大怒……圣经是否反对妓女或卖淫行为？不见得……"（3页）但圣经作者记录下某些人的行为，并不意味着圣经作者提倡这种行为。Knust应当知道，希伯来学者Robert Alter在其经典著作《圣经的叙事艺术》（*The Art of Biblical Narrative*，Perseus Books，1981）中详细地解释了《创世记》38章与39章是紧密联系的，而39章是讲约瑟拒绝与他主人的妻子行淫。Alter的结论是："我们从犹大的故事来到约瑟的故事，看到一个鲜明的对比，一个故事是讲一个人克制不住性欲而导致赤裸羞耻，另一个故事则是讲一个人看似失败却因克制性欲而最终得胜。"作为希伯来文学专家，Alter并不认为《创世记》作者不反对卖淫。《创世记》的叙述者特意把38章犹大的行为与39章约瑟的行为加以对比，又说婚外性行为是"极恶的事"，"得罪神"（创39:9）。女权主义者说《创世记》认可卖淫和多配偶制，却无视《创世记》叙事中的卖淫和多配偶制给所有相关者带来极大的悲惨，我认为，这说明当代流行文化的倡导者还没有学会如何读故事。

Knust所引用的这些经文，我本人已经学习并公开教导四十年了。并且有许多优秀学者，以及普通人，凭借常识，反对Knust对这些经文的所有解读。奇怪的是，Knust并没有给读者一丝暗示，让读者知道这些反对意见的存在。甚至当她作品的某些地方（例如她对《创世记》38章的解读）遭到整个圣经研究学术界（从自由派到保守派）的一致反对时，她也丝毫没有提到过这些反对的声音。我发现这是绝大多数攻击"圣经关于性爱的教导"的谈话、书籍和文章的通病。

第1章　婚姻的奥秘

1 亚当一看见夏娃就脱口作诗，这个令人印象深刻的举动表明此事非同小可，也表明亚当看见夏娃的时候内心反应多么强烈。他的话很难翻译。从字面上看，他说的是："这……终于！"英文新国际版只是译作："现在！"新标准修订版（NRSV）译得更妥帖："终于——这就是我骨中之骨，肉中之肉！"（创2:23）

2 统计数字引自 W. Bradford Wilcox 编的 The State of Our Unions: Marriage in America, 2009 (The National Marriage Project, University of Virginia)，以及 The Marriage Index: A Proposal to Establish Leading Marriage Indicators (Institute for American Values and the National Center on African American Marriages and Parenting, 2009)。这两份报告可见 www.stateofourunions.org and www.americanvalues.org (Wilcox)，和 www.hamptonu.edu/ncaamp (American Values)。

3 1970年时首次婚姻保持完整的家庭达到77%，而今天这个数字仅为61%（*The Marriage Index*, 5）。换句话说，今天所有结婚的夫妇中，有大约45%（原书如此）最终分居或离异（*The State of Our Unions*, 78）。

4 *The Marriage Index*, 5.

5 "The Decline of Marriage and the Rise of New Families" (Pew

Research Center Report, November 18, 2010). 可见 http://pewsocialtrends.org/2010/11/18/the-decline-of-marriage-and-rise-of-new-families/2/。

6 Wilcox, *The State of Our Unions*, 84.

7 Mindy E. Scott, et al., "Young Adult Attitudes about Relationships and Marriage: Times May Have Changed, but Expectations Remain High," in *Child Trends: Research Brief* (Publication #2009 - 30, July 2009). 见前页。可见 www.childtrends.org/Files/Child_Trends—2009_07_08_RB_YoungAdultAttitudes.pdf.

8 David Popenoe and Barbara Dafoe Whitehead, *The State of Our Unions: 2002—Why Men Won't Commit* (National Marriage Project), 11.

9 同上,85。

10 同上。婚前同居的人,最终离婚的概率高于婚前未同居的人。然而,对于这种现象的原因,人们并没有共识。有些人相信,同居的经历使人养成坏习惯,这些坏习惯在二人结婚之后导致关系恶化。有些人认为,选择婚前同居的人与选择婚前守贞的人有不同的性格和行为特征,是这些原有的特征而非同居行为本身导致后期的分手。尽管这些理论各有侧重,但它们的结论是一致的。婚前同居与婚姻关系不牢固,二者具有相关性。无论同居的原因是什么,希望同居和选择同居都会降低将来婚姻牢固的可能性。

11 "Your Chances of Divorce May Be Much Lower than You Think," in Wilcox, *The State of Our Unions*, 2009, 80.

12 Popenoe, *The State of Our Unions*, 7. 男人同居而不结婚的十

个理由当中，有一个是“想有了自己的房子以后再娶妻”。

13 “The Surprising Economic Benefits of Marriage,” in Wilcox, *The State of Our Unions*, 86.

14 同上，87。

15 http://answers.yahoo.com/question/index? qid=20090823064213AAoKwvq.

16 Adam Sternburgh, “A Brutally Candid Oral History of Breaking Up,” *New York Times Magazine* (March 11, 2011).

17 同上。

18 Linda Waite, et al., *Does Divorce Make People Happy? Findings from a Study of Unhappy Marriages* (American Values Institute, 2002). 可见 www.americanvalues.org/UnhappyMarriages.pdf。

19 Linda J. Waite 说：“这份报告指出，根据十二个独立的心理幸福指标中的任何一个来衡量，平均而言，那些婚姻不美满而离婚的成年人，都不比那些婚姻不美满但没有离婚的成年人更幸福。离婚并不会减少各种抑郁症状，也不会提高自尊或增加权利感。即便去掉种族、年龄、性别和收入等因素之后，也是如此。这说明，离婚的益处被夸大了。”摘自 *Does Divorce Make People Happy?* 的出版声明，可见 www.americanvalues.org/html/r-unhappy_ii.html。

20 “The Decline of Marriage”(2010 Pew Center report). 报告总结说，已婚夫妇有 84%对婚姻生活感到满意，与之相比，同居者对生活感到满意的比例是 71%，独身者是 66%，离婚或分居者是 50%。

21 Wilcox, *The State of Our Unions*, 101.

22 见"Teen Attitudes about Marriage and Family," in Wilcox, *The State of Our Unions*, 113。然而,令人意外的是,在经过多年之后,认为婚前同居是"好主意"的青少年人数开始下降。报告总结认为,"男孩和女孩都比过去更接受婚姻之外的生活方式,尤其是未婚生子,尽管最近的数据表明,接受未婚同居的人数出现了令人意外的下降。"(112 页)

23 John Witte, Jr., *From Sacrament to Contract: Marriage, Religion, and Law in the Western Tradition* (Louisville: John Knox Press, 1997), 209.

24 见其文章"God's Joust, God's Justice: An Illustration from the History of Marriage Law," in *Christian Perspectives on Legal Thought*, ed. M. McConnell (New Haven: Yale University Press, 2001), 406ff。

25 参见 W. Bradford Wilcox, *Why Marriage Matters: Twenty-six Conclusions from the Social Sciences*, 3rd ed. (Institute for American Values, 2011)。本书的一个结论是:"婚姻可以促进男性文明,让他们的注意力离开危险、反社会、自我中心的活动,转向家庭的需要。婚姻在这方面发挥着特别重要的作用。"可见 www.americanvalues.org/html/r-wmm.html。

26 *New York Times* (December 31, 2010),可见 www.nytimes.com/2011/01/02/weekinreview/02parkerpope.html。

27 Popenoe and Whitehead, *The State of Our Unions*. 可见 www.virginia.edu/marriageproject/pdfs/SOOU2002.pdf。

28 Sternburgh, "A Brutally Candid Oral History."

29 同上,13。

30 同上,15。

31 同上,17。

32 同上。

33 Sara Lipton, "Those Manly Men of Yore," *New York Times* (June 17, 2011).

34 Popenoe and Whitehead, *The State of Our Unions*, 14. 可见 www. virginia. edu/marriageproject/pdfs/SOOU2004. pdf。

35 同上。

36 John Tierney, "The Big City: Picky, Picky, Picky," *New York Times* (February 12, 1995).

37 *Haven in a Heartless World: The Family Besieged* (New York, Basic Books, 1977). Lasch 最早把传统婚姻观(认为婚姻是塑造品格和人类群体的途径)与"医治式"婚姻观(认为婚姻是自治个体满足个人需要的途径)加以对比。

38 Tierney, "Picky, Picky, Picky."

39 C. S. 路易斯,《四种爱》(*The Four Loves*, New York: Harcourt, 1960), 123 页。

40 Stanley Hauerwas, "Sex and Politics: Bertrand Russell and 'Human Sexuality,'" *Christian Century* (April 19, 1978), 417 - 422. 可见 www. religion-online. org/showarticle. asp?title=1797。

41 拉丁文,意思是"朝内弯曲,朝向自己",马丁·路德用这个词描述人罪恶的本性。在马丁·路德的《罗马书注释》里,他多次用这个词来描述原罪和人类普遍的罪性。关于"自私是婚姻的重要问题",参考本书第 2 章,"婚姻的力量"。

42 *Love in the Western World* (New York: Harper and Row, 1956),

300. 引自 Diogenes Allen，*Love: Christian Romance, Marriage, Friendship* (Eugene，OR，Wipf and Stock，2006)，96。

43 Ernest Becker，*The Denial of Death* (New York: Free Press，1973)，160.

44 同上，167 页。在《诸神的面具》(*Counterfeit Gods*，Dutton，2009)中，我用 Becker 的理论来解读圣经里雅各、拉结和利亚的故事。参考该书第 2 章，"光有爱是不够的"。

45 这本书里，类似这对已婚夫妇的例子还有很多，这些例子都来自于我私人交往的经验，而非我在教会中对会众的牧养和辅导。

46 例如，见 Sharon Jayson，"Many Say Marriage is Becoming Obsolete，" *USA Today* (November 11，2010)。

47 Rashida Jones，speaking to E! Reported，可见 http://ohnotheydidnt.livejournal.com/57296861.html.

48 不仅没有证据证明"开放的婚姻"对多数人是好事，相反，有很多例子证明这种关系不适合多数人。O'Neill 与人合著了 *Open Marriage: A New Life Style for Couples* (M. Evans and Company，1972)，这本书被翻译成十四种语言，全球销量达三千五百万册。这本书小心翼翼地提议："我们并非推荐婚外性行为，但我们也不说应当避免婚外性行为。选择权在你自己。"这句话，以及他另一句著名的话，"性忠贞是封闭婚姻的一尊假神"，再加上许多七十年代流行心理学的支持，一同鼓励许多已婚的读者在婚外寻找性伴侣。《纽约时报》发布的 O'Neill 讣告中说，这本书的建议，"现在看来，与其说是勇敢，不如说是'破坏性的幼稚'。"*Open Marriage* 出版若干年之后，O'Neill 接受《纽约时报》采访时说："婚外性关系的整个领域都是敏感的。我们从来不认为这个概念适合多数人，而且事实也证明它不适合多数人。"她所讲的是指很多夫妇尝试开放婚姻之后，都发现这种行为具有毁灭性的恶果，它带来嫉妒和背叛，摧毁夫妇间的亲密和信任(Margalit Fox, "Nena O'Neill, 82, an Author of 'Open Marriage,' Is Dead," *New York Times*, March 26, 2006)。换句话说，尽管很多人追捧"非一夫一妻制婚姻"，但没有任何经验或实例证明这种婚姻可行。

49 Elissa Strauss, "Is Non-Monogamy the Secret to a Lasting Marriage?" Posted June 1, 2011, at slate. com/blogs/xx_factor/2011.

50 例如，Mark Oppenheimer 于 2011 年 6 月 30 日在《纽约时报》上发表文章"Married, with Infidelities"，在这篇文章里，他引述了专栏作家 Dan Savage 的话："我承认一夫一妻制的优点……安全的性行为、避免性病传染、情绪的稳定和安定感等等。但一夫一妻制度内的人必须承认这个制度落后的一面……"

51 例如，见 Dr. Neil Clark Warren, "On Second Thought, Don't Get Married," at huffingtonpost. com/dr-neil-clark-warren/on-second-thought-dont-ge_b_888874. html。

52 这句话听上去颇具争议，但事实并非如此。所有社会历史书籍都会告诉你，婚姻源于"史前"。换句话说，人类有史以来，一直就有婚姻。总有些人想尽办法证明这个或那个遥远的文化或少数民族脱离婚姻而存在，但这些标新立异的说法没有一个被广泛接受。一个例子是，有些人认为中国南方有个叫摩梭族的少数民族没有婚姻。在这个社会里，婚姻伴侣不住在一个家里。弟兄和姊妹住在一起，并且养育姊妹的儿女。男人的责任是支持和养育姊妹的儿女——他们的侄儿侄女，而非他们自己的儿女。这种家庭模式是非常罕见的，但这并不意味着婚姻和家庭不存在。实际上，摩梭族不仅有婚姻和家庭，而且他们的家庭观念很强。父亲是儿女生活的一部分，尽管他们不住在一起。摩梭族女性与她们的性伴侣建立长期稳定的关系。某些已婚的夫妇也住在一起。见 Tami Blumenthal's 2009 report，*The Na of Southwest China：Debunking the Myths*，可见 web. pdx. edu/～tblu2/Na/myths. pdf。

53 P. T. O'Brien，*The Letter to the Ephesians*（Grand Rapids，MI：Eerdmans，1999，109－110）．我在本书严格遵照 O'Brien 对《以弗所书》5 章的解释。我尤其认可他对于保罗的看法："没有许多奥秘，只有同一个奥秘的许多方面。"（433－434 页）"这个奥秘[诀窍]不是……婚姻本身；而是基督徒婚姻所反映的基督与教会的连合……[婚姻]再现了新郎（基督）与新妇（教会）之间的美，借此表明福音的一切奥秘。"（434 页）

54 G. W. Knight，"Husbands and Wives as Analogues of Christ and the Church：Ephesians 5：21－33 and Colossians 3：18－19，" in *Recovering Biblical Manhood and Womanhood：A Response to Evangelical Feminism*，eds. J. Piper and W. Grudem（Wheaton，IL：Crossway，1991），176. 引自 O'Brien，*Ephesians*，434n。

55 Robert Letham，*The Holy Trinity：In Scripture，History，Theology，and Worship*（Phillipsburg，NJ：Presbyterian and Reformed，2004），456.

56 O'Brien，*Ephesians*，434.

第 2 章　婚姻的力量

1 《以弗所书》5：21 是否意味着每个信徒都要顺服任何其他信

徒？或者这是一句纲领性声明，引出下面的经文，因此这是一个概括性主张，认为一切基督徒都应当在各自的社会角色中顺服在上的权柄？O'Brien（*The Letter to the Ephesians* [Grand Rapids, MI: Eerdmans, 1999], 436）和其他解经家证明有一种解释合乎上下文。21节是一句总结性话语，保罗用这句话开宗明义，下面紧接着给出一系列具体的指示：夫妻关系、亲子关系、主仆关系等等。例如，21节不仅引出夫妻关系的经文（22—32节），也引出亲子关系的经文。显然，父母不应当像儿女顺服父母那样顺服儿女。这里的重点是，我们不要用21节来"熨平"夫妻责任之间的差异，说丈夫和妻子的角色是一样的。丈夫不应当像妻子顺服丈夫那样顺服妻子（详见本书第6章）。

另一方面，我们千万别走到另一个极端，忽视夫妻关系中相互尽责、相互受益的方面。《腓立比书》2:1—3命令一切基督徒不求自己的益处，但求别人的益处。基督徒应当为别人和社会的利益克制自己的欲望。很多经文讲到一切基督徒都要彼此服侍，彼此尊重。在《加拉太书》5:13，保罗告诉所有基督徒要彼此服侍，这里的原文是"作奴仆"。保罗把这个比喻延伸出去，说我们彼此亏欠了爱心，这是我们所欠的"债"（罗13:8）。看到这些劝勉，我们就应该明白，尽管《以弗所书》5:22—31没有呼召妻子爱丈夫，也没有呼召丈夫服侍和尊重妻子，但圣经确实告诉我们，夫妻之间应当彼此相爱，彼此服侍。最后，夫妻双方都要舍己，为对方作出牺牲。

2 严格说来，耶稣所指的圣灵的工作，受益者首先是这些使徒自己。《约翰福音》13—17章"马可楼对话"是耶稣对门徒的预备，帮助他们在耶稣受死复活之后继续开展事工。耶稣坚固他们的信心，告诉他们圣经会帮助他们，特别是帮助他们想起耶稣同在时对门徒讲过的话（约 14:26），耶稣遇见他们之后，就开始带领他们参与自己在地上的传道工作（约 15:27）。使徒的亲眼见证和教导是新约的基础。然而，“相应地，我们也说，圣灵继续在耶稣基督今天的门徒里面工作”（D. A. Carson, *The Gospel According to John* [Leicester, England: InterVarsity Press], 541）。其他经文也证实，圣灵在一切信徒里面工作，圣灵的工作就是让他们认识耶稣的荣耀，如《约翰福音》14—17 章所述（参弗 1:17,18—20;3:14—19;帖前 1:5）。

我们应当记得，在《约翰福音》14—17 章，耶稣主要是向当时的门徒应许圣灵会来帮助他们，所以我们不能忽视圣灵帮助我们的首要渠道——圣经。一般情况下，当我们阅读圣经、学习圣经或聆听使徒的话语时（福音以新约经文的形式传给我们，并且照亮旧约的经文），圣灵就在我们心里使基督得到荣耀。总之，圣灵向我们解明圣经的话语，这是圣灵充满的普遍方式。

3 本书第 6 章将详细讨论“丈夫作头”这个主题。

4 关于“自我中心”的一个经典论述是 C. S. 路易斯的著作《返璞归真》(*Mere Chistianity*, Macmillan, 1960)“最大的罪”一章。可见 www. btinternet. com/～a. ghinn/greatsin. htm。

5 应该强调，这并不意味着非基督徒不可能拥有美满的婚姻。但这确实意味着，凡是无私奉献、婚姻美满的人，都从神得到了帮助，不论他们自己是否意识到这点（雅 1:17）。我这里是指基督教神学家所说的“普遍恩典”，即我们明白，神把真理、道德、品格、智慧和美，慷慨地赐给各种人，包括那些不承认神的人，神用普遍恩典来限制人类社会生活中的罪恶和自私。

关于普遍恩典的经文包括《雅各书》1:17 和《罗马书》2:14—15。圣经常常提到非信徒良善正直的行为(王下 10:29—30;路 6:33),但圣经说,这种良善的源头来自神。

6 C. S. 路易斯,《痛苦的奥秘》, 157 页。路易斯在此引用了 George MacDonald 的文字。

7 C. S. 路易斯,《返璞归真》, 190 页。

8 这并不是说,在任何情况下,离婚都是不允许的、不明智的。参考第 3 章的内容,以及第 3 章注释 5。

9 Derek Kidner, *Psalms 73 - 150: An Introduction and Commentary* (Leicester, UK: IVP, 1973), 446.

10 这些引述摘自 Laura Hillenbrand, *Unbroken: A World War II Story of Survival, Resilience, and Redemption* (Random House, 2010)。分别是:三十七章, Twisted Ropes;三十八章, Beaconing whistle;三十九章,Daybreak。

11 "敬畏主"是旧约的说法,旧约常用这个词来描述属灵体验,而新约则很少用这个词。反过来,新约常讲"被圣灵充满",旧约却很少这样用。就此问题,可以参考 John Murrey 的著作 *Principles of Conduct: Aspects of Biblical Ethics* (Grand Rapids, MI: Eerdmans, 1957)中的"The Fear of God"一章。Murrey 说,旧约告诉我们,没有内在的属灵体验和动机,只有外在的信仰和遵守诫命,就是假宗教。有许多书籍论到圣灵的工作。因为圣灵借着基督大大地赐给我们,所以,不能简单地说旧约的"敬畏主"完全等同于新约的"被圣灵充满"。然而,这两者所描述的基本上是同一种属灵体验。

第 3 章　婚姻的精髓

1 《申命记》10:20,11:22;《约书亚记》22:5,23:8。尤见《申命记》

10:20,“你要敬畏耶和华你的神,事奉他,依靠他,奉他的名起誓。”

2 Russell, *Marriage and Morals*, 1957. 引自 Stanley Hauerwas, “Sex and Politics: Bertrand Russell and ‘Human Sexuality’,” in *Christian Century* (April 19, 1978), 417–422。

3 我当时所听见的誓言相当典型。维基百科 2011 年 2 月 3 日“婚誓”条目(http://en.wikipedia.org/wiki/Wedding_vows)包括以下内容:“今天很多夫妇选择自己写誓言。他们的灵感通常来自于诗歌、电影或音乐。誓言多包括彼此眼中的特点、对生活的期望、两人相遇如何改变了他们的生活。誓言长约二至三分钟,是公开表达的爱意。”注意,这里重点是宣告当前的爱,而非宣告将来的爱。

4 Linda Waite, et al., *Does Divorce Make People Happy? Findings from a Study of Unhappy Marriages* (American Values Institute, 2002). 可见www.americanvalues.org/UnhappyMarriages.pdf。

5 结婚、离婚和再婚的问题是非常大的题目,那些想就这些问题提出圣经原则的人,必须首先做许多细致的释经工作。这超越了本书的范畴。然而,我就此问题进行了多年的思考和研究,下面是一个简单的总结。

我相信,对基督徒来说,有两个离婚的理由是合乎圣经的:(1)你的配偶犯了奸淫,你就可以离婚。《马太福音》19:3—9 表明了这点。(2)你的配偶遗弃你,并且拒绝回家。在这种情况下,你可以离婚(林前 7:15)。对于第二种情况,经文说,遗弃配偶的人是“非信徒”(有这种行为的男人或女人可能自称“非信徒”,或受教会纪律惩戒而被称为“非信徒”。也就是说，这个人的行为违背了基督徒的原则，并且拒绝悔改，教会集体可以按照《马太福音》18：15—17 加以惩处）。在这两种情况下，根据保罗的教导，受委屈而离婚的一方“不受约束”（林前 7：15）。这句话只有一种理解，即“被离婚的人有再婚的自由”，否则这话就没有意义。

一个合理的问题是：“遗弃包括哪些情况？”圣经说，配偶必须“情愿和她住在一起”（林前 7：13）。身体的虐待算不算呢？我们能否说，一个殴打妻子的丈夫已经离弃了妻子，已经不情愿与妻子同住？我个人认为是这样。但这个问题又引向另一个重要的结论。那些考虑与配偶离婚的基督徒，如果他们想余生良心安稳，希望在自己的余生中不受神咒诅，他们就不应当完全靠自己做这个决定。《马太福音》18：15 以及其后的经文说，若有人得罪你——奸淫、遗弃和虐待都是很大的得罪——你应该“告诉教会”。很多解经家认为，你至少应该向教会领袖咨询。

最后一个问题是：一个人离婚若不合乎圣经，还能再婚吗？就此问题，牧师和圣经学者有不同的意见。这个问题非常复杂，但我认为最简单的回答是：“某些情况下可以”——如果有内在的悔改和公开的认错。归根结底，允许再婚的理由是，正如 Jay Adams 所反问的，为什么离婚是唯一不可赦免的罪呢？（Jay E. Adams，*Marriage*，*Divorce*，*and Remarriage*，Grand Rapids［MI：Zondervan，1980］，92ff.）

6 在这段经文里，神表达了他的哀伤和忿怒：以色列转去拜别神。从属灵意义上讲，这就是淫乱。以色列人把自己委身于新的伴侣，新的恋人。神回应说：“背道的以色列行淫，我为这缘故给她休书休她……”这段经文表明，神知道背叛和离异的痛苦。很多有同样经历的人也因此得到安慰。

7 Gary Thomas，*Sacred Marriage*（Grand Rapids，MI：Zondervan，2000），11.

8 刊于 *Christianity Today*（January 21，1983）。

9 Peter Baehr，*The Portable Hannah Arendt*（New York：Penguin Classics，2003），181. 亦见 Smedes 的文章。

10 Wendy Plump，"A Roomful of Yearning and Regret，" *New York Times*（December 9，2010）. 可见 www. nytimes. com/2010/12/12/fashion/12Modern. html。

11 J. R. R. Tolkien，*The Lord of the Rings*：*The Return of the King*（New York：Houghton-Mifflin，2005），p. 146，第八章，The Houses of Healing。

12 克尔凯郭尔在他的许多著作里，提到爱和婚姻的本质（"The Aesthetic Validity of Marriage，" in *Either/Or*，*Concluding Scientific Postscript*，以及 "On the Occasion of a Wedding，" in *Three Discourses on Imagined Occasions*）。我这里引用的是 Diogenes Allen 在 *Love*：*Christian Romance*，68ff. 当中所提炼的克尔凯郭尔的思想。

13 Allen，69.

14 同上，15。

15 C. S. 路易斯，《返璞归真》，130—131 页。

16 同上，131—132 页。

17 应当指出，传统文化中的"包办婚姻"有契合圣经模式的可能，实际上，包办婚姻可以非常契合圣经模式。我的祖母于世纪之交生在一个意大利移民家庭，她与我祖父的婚姻就是她父母包办的。她没有选择自己的丈夫。但是她对我说："我知道他是好人。我开始的时候不爱他,但我逐渐学会爱他。那个年代的婚姻就是这样。"爱的行动引向爱的感觉。

18 C. S. 路易斯,《返璞归真》,第 3 卷,第 6 章,“基督徒的婚姻”。

19 同上。

20 同上。

第 4 章　婚姻的使命

1 《创世记》1 章反复强调“神看着是好的”,这句话表明,物质世界及物理现实的本质是好的。希腊人相信,物质世界的存在是出于偶然,甚至是某些较低等“神灵”的一场集体悖逆行动。希腊哲学认为,物质是灵魂的监牢。物质在本质上是恶的、脏的,会使灵魂错乱。按照这种世界观,身体是低级的,人应当通过修炼来超越身体的限制,达到某种属灵的境界。结果,许多希腊—罗马社会相信,性愉悦是粗俗的事,或是无关紧要的事。圣经的世界观与希腊世界观形成鲜明对比,《创世记》1—2章让我们看到一个“用尘土造人”的神,他创造了这个世界,并且特意将灵放入一个身体。另外,基督的道成肉身和复活,也让基督教成为特别重视身体的信仰。何况未来得救的世界也是一个物质的世界!没有任何别的宗教认为物质和灵魂可以永远结合。可以说,正因为犹太人和基督徒非常重视身体,并且认为性行为是美好的,所以他们在性伦理上比异教社会更严谨。

2 有关系统神学对这个问题的标准解释,可参 Louis Berkhof 的 *Systematic Theology*(Grand Rapids, MI: Eerdmans, 1949)第二部分,第三章:人论:上帝的形象;Herman Bavinck 的 *Reformed Dogmatics: God and Creation*, Vol. 2 (Grand

Rapids, MI: Baker, 2004)第五部分,上帝的形象;Michael Horton的*The Christian Faith: A Systematic Theology for Pilgrims on the Way*(Grand Rapids, MI: Zondervan, 2011)第三部分,第十二章:成为人;G. C. Berkouwer的*Man: The Image of God*(Grand Rapids, MI: Eerdmans, 1962)。

3 *'ezer*源于一个动词,这个动词的意思是"保卫,保护"。很多人认为这个词的意思与性别和性别角色的概念紧密相关。本书后面部分还要详细讨论这个问题。这里只指出一点:人类第一对夫妇不仅是性伴侣,还是好朋友。

4 Dinah Maria Mulock Craik, *A Life for a Life* (New York: Harper and Brothers, 1877), 169.

5 爱默生在论友谊的文章里说,最理想的友谊存在于这样的人之间:他们既有深刻的共性,又存在深刻的差异;但他们有一个共同的愿景,并且一起努力,朝着这个愿景前进。"友谊需要在异同间找到那种难得的平衡。最好充当朋友身边的芒刺,不要去做他的应声虫。他们必须真是两个人,才能真正成为一个人。友谊是两个伟大而崇高的人所组成的联盟,他们首先彼此注视,彼此敬畏,然后他们发现,在这些差异下面,有一种深刻的共同身份使他们联合。"可见www. emersoncentral. com/friendship. htm。

6 C. S. 路易斯,《四种爱》(*The Four Loves*, New York: Mariner Books, 1971),第四章。

7 Peter T. O'Brien说,耶稣洁净教会不是一个长期的、逐渐的过程,而是一个决定性的举动,一次就使教会得以成圣,神学家称之为"决定性的圣化"。在圣经里,"成圣"有时指一个人逐渐被更新、进入荣耀、拥有基督形象的过程,但圣经也经常用这个词来指一个人信基督的时候，一次就被“分别为圣”。O'Brien 说，保罗这里用来表示“洁净”的词用不定过去式，表示单一的、完成的动作，而不是表示长期的过程（*Letter to the Ephesians* [Grand Rapids, MI: Eerdmans], 1999, 422）。然而，正如 O'Brien 对《腓立比书》1:6 的解读，确实存在一个渐进的成圣过程，在这个过程里，耶稣不断督促我们，而在《以弗所书》中，耶稣作为我们属灵的丈夫，他的目标就是使我们成为“荣耀的”（27 节，希腊文 *endoxan*）。这明显指向将来“属灵的完全和道德的完全”（O'Brien, *Ephesians*, 425）。亦见 Peter T. O'Brien, *The Epistle to the Philippians: The New International Greek Testament Commentary* (Grand Rapids, MI: Eerdmans, 1991), 64 - 65。

8 我们要再次强调，在《以弗所书》5:22 及以下经文中，保罗仅仅告诉丈夫要舍己，要致力于帮助妻子的灵命成长，呵护她们走向将来荣耀的自己。保罗没有把这个责任给妻子，所以一些读者对这节经文的理解有些混淆。但我们已经讲了，所有基督徒都要彼此认罪、彼此监督成长、彼此服侍、彼此劝勉。《以弗所书》5 章不是说妻子能够监督、劝勉其他人，唯独不能监督劝勉丈夫。尽管我只能揣测，但我想保罗在这里只提到丈夫是因为：(1)多数丈夫在属灵的事上不如妻子主动；(2)保罗认为，如果夫妻双方在婚姻中得不到属灵的成长，丈夫的责任更大。

9 C. S. 路易斯，《返璞归真》，174—175 页。

10 “基督爱教会，基督对教会的心意和基督的舍己行为都是作丈夫的模范（25 节）。基督完全舍己，好让教会成为圣洁，丈夫也应当同样努力，使妻子得到幸福，尤其是属灵的幸福。”(O'Brien, *Ephesians*, 423)

11 1996年的电影 *The Truth about Cats & Dogs*，形象地说明了这个道理，其主演是 Uma Thurman、Janeane Garofalo、Jamie Foxx、Ben Chaplin。Chaplin 扮演的角色在通电话时爱上了 Garofalo 的思想，但在实际接触中却迷恋 Thurman 的身体。

12 C. S. 路易斯，《痛苦的奥秘》，47页。

第5章　爱那个陌生人

1 Stanley Hauerwas, "Sex and Politics: Bertrand Russell and 'Human Sexuality'," in *Christian Century* (April 19, 1978), 417 - 422.

2 查普曼，《爱的五种语言》（*The Five Love Languages: The Secret to Love that Lasts*, Chicago: Northfield Publishing, 2010)，第三章，Falling in Love。

3 完整引文是："岂不知，午夜时分一旦降临，人人都得摘掉面具？你是否相信生命总免不了遭受嘲讽？你认为自己能够在午夜来临前溜之大吉吗？或者你不会为之惊恐战栗？"克尔凯郭尔，《非此即彼》（Søren Kierkegaard, *Either/Or*, II, Princeton: Princeton University Press, 1988)，160页。

4 这是针对"我怎么知道应当与这个人结婚？"这个问题的一个简略回答。本书第7章将详细讨论这个问题。

5 虽然砸瓷碟事件结局不错，但我们通常不应当采取这种方式来处理冲突，或彼此传递一些令人不愉快的信息。凯西提到砸瓷碟策略时常说："这个策略只能用一次。"

6 这章的很多思想来自于 Arvin Engelson 在戈登-康维尔神学院上学时未发表的论文"Marriage as a vehicle for sanctification"。"在婚姻中，可以经历整个生命被救赎的可能性，过往的经历得到医治。一个人生平的第三个归信是神在此生所开始的工作，神似乎向婚姻关系中投入了足够的情感力量，用以挑战过往生活所积累的诸般定论之权威，并由此救赎往昔。”

7 读者应当看到，这个例子不仅说明了“爱的通币”或“爱的语言”多么重要，而且证明了本书第 4 章所讲的“离开父母与妻子结合”多么重要。每段婚姻都是一个新的人类共同体，我们千万别硬搬父母的家庭模式来要求配偶。凯西和我都没有看到父母的生活方式对我们所产生的影响。我们都想当然地认为我们的婚姻必须按照父母的方式运作。我们必须仔细商讨如何一起过我们自己的生活，并就此达成一致意见。这是非常重要的“离开父母，彼此结合”的方式。

8 这个故事取自查普曼《爱的五种语言》第十章，“爱是一种选择”。

9 同上。

10 在这部分，我把爱的表达归为三类：感动、友谊和服侍。关于通过性表达爱，请参考本书第 8 章。

第 6 章　拥抱“他者”

1 我们这里所谈的仅限于婚姻内的性别角色，因为这是本书的主题。自然，这个主题不能与“性别总体差异”主题完全隔离，后者包括性别如何影响两性在教会和世界中的关系，但限于当前的讨论范围，本书不能面面俱到。

2 “神照着自己的形象创造人；就是照着神的形象创造了他；他所创造的有男有女。神就赐福给他们，对他们说：‘要繁殖增多，充满这地，征服它；也要管理海里的鱼、空中的鸟和地上所有走动的生物。’”（创 1:27—28）

3 神说:“我们要照着我们的形象造人。”(创 1:26)这里的复数人称代词不仅是一个有趣的语言学问题。神在《创世记》里只有一次用“我们”来指自己,就是在讲造男造女的时候。这暗示,男女之间的关系反映神性之内的关系:三位一体的神。性别关系向我们启示父、子、圣灵之间的关系。既然神是三而一的——父、子、圣灵,那么至少需要两个人(有彼此相爱、相互服侍、相互尊重、相互荣耀的可能)才能完全反映神的形象。更重要的是,至少需要两个人,才能扮演父、子、圣灵在创造和救赎过程中的不同角色。《尼西亚信经》在基督教早期就明确了父、子和圣灵在创造和救赎过程中所发挥的不同作用,同时也坚持父、子、圣灵的同质性。尽管众人(男性和女性)都承载着神的形象,反映他的荣耀,并且代表他管理自然,但男性和女性需要在婚姻内合为一体,才能反映三一神内部相爱的关系。

4 “耶和华神说:‘那人独居不好,我要为他造个和他相配的帮手。’耶和华神使那人沉睡。他熟睡的时候,耶和华神取了他的一根肋骨,又使肉在原处复合。”(创 2:18,21)这里的重点在于:从《创世记》最开头直到现在为止,神创造世界的每个对象和场景“都是好的”,这是神的判语。但我们在这里第一次看到一个“不好”的东西,而这发生在人类堕落之前。“不好”的一个原因是人类本是为了社群而造。但这也意味着男性身份必须借助女性身份才能成全。这强烈暗示两性是互补的。

5 《创世记》3:20:“亚当给他的妻子起名叫夏娃,因为她是众生之母。”这里特意强调亚当给夏娃“起名”,说明这件事非常重要。“起名”证明亚当有作头的身份和权柄。只有当我们拥有照管某人的责任和权柄时,才有权给这个人起名。比较这节经文和亚当给动物起名、神给施洗约翰和耶稣起名,不允许他们父母给他们起名。神给亚伯兰、撒莱和雅各等人重新起名。关于犹太人起名的传统，参考 Bruce Waltke, *Genesis: A Commentary* (Grand Rapids, MI: Zondervan, 2001), 89。然而，有些人否认亚当起名这件事表示权柄，认为这只表示识别。见 Victor Hamilton, *The Book of Genesis: Chapters 1–17* (Grand Rapids, MI: Eerdmans, 1990), 176。Gerhard von Rad 结合这两种思想，认为起名表示"将其分别出来的命令"。也就是说，亚当起名的时候，他认识对方，这名字使对方与亚当自己处于正确的关系之中。然而，命名者是发出命令者，而非被命名者。见 Gerhard von Rad, *Genesis* (Philadelphia Westminster, 1961), 81。

6 见 Gordon J. Wenham, *Genesis 1–15* (Waco, TX: Word, 1987), 68。"圣经别处用 *'ezer* 这个词来描述神的作为，但在先知书里，有三处用这个词来描述军事援助(赛 30:5;结 12:14;何 13:9)。帮助某人，并不意味着帮助者强于(或弱于)被帮助者，仅意味着后者本身还不够强大。"

7 Gordon Wenham 说，这个词表达"互补性，而非表达差异性"，见 Wehnam, *Genesis*, 68。

8 这里需要强调几点，有的明显，有的不太明显。明显的是，整段话解释了为什么圣经禁止同性性行为。不太明显的是，我们都需要"跨性别"的门徒培训，甚至在婚姻之外也需要。也就是说，我们需要异性的友谊和团契——不论是家里的弟兄姊妹还是亲属，或基督徒弟兄姊妹、朋友或配偶。我们需要通过跨性别的互动来"延展"和丰富我们的体验。有些东西，你只能通过与异性互动才能学到(通过辅导或效法榜样)。千万别以为只有通过结婚才能得到这种属灵成长。

9 “天起凉风的时候，那人和他的妻子听见耶和华神在园中行走的声音，就藏在园子的树林中，躲避耶和华神的面。耶和华神呼唤那人，对他说：‘你在哪里？’他回答：‘我在园中听见你的声音，就害怕；因为我赤身露体，就藏了起来。’耶和华神说：‘谁告诉你，你是赤身露体呢？难道你吃了我吩咐你不可吃的那树上的果子吗？’那人说：‘你所赐给我、和我在一起的那女人，她把树上的果子给我，我就吃了。’耶和华神对女人说：‘你作了什么事呢？’女人说：‘那蛇欺哄我，我就吃了。’”(创 3:8—13)

10 在福音书里，基督与妇女的每次相遇都是积极的。男人不理解耶稣，妇女理解他；他赞扬妇女暂时停下手头的家务，与男人一同坐在他脚前听道(路 10:38 及以下)。在他受难的时候，男性门徒都躲起来，而妇女和他在一起；耶稣复活以后，首先向妇女显现；而且有一位妇女——抹大拉的马利亚一度成为整个教会的重要人物：耶稣派她去告诉门徒他复活的消息，传达他的命令——她是最早的基督徒，也是最早的福音宣教士(约 20:1 及以下)。耶稣与妇女的互动提升了妇女在传统文化中的卑微地位。早期教会认为圣灵在五旬节降在男子身上，也照样降在妇女身上，因此，教会对女性的态度发生了根本性转变，甚至保罗要提醒妇女在服侍时应当注意性别差异。虽然她们从事与男性一样的事工，但她们应当发挥女性的作用，而非拒绝女性的身份(见林前 11 章，14 章)。

11 “你们应当有这样的意念，这也是基督耶稣的意念(全节或译“你们当以基督耶稣的心为心”)。他本来有神的形象，却不坚持自己与神平等的地位，反而倒空自己，取了奴仆的形象，成为人的样式；既然有人的样子，就自甘卑微，顺服至死，而且死在十字架上。因此神把他升为至高，并且赐给他超过万名之上的名。使天上、地上和地底下的一切,因着耶稣的名,都要屈膝,并且口里承认耶稣基督为主,使荣耀归给父神。"(腓 2:5—11)

12 《哥林多前书》11:3:"基督是男人的头,男人是女人的头,神是基督的头。"和其他讲性别的经文一样,这段话也备受争议。这节经文提到三种"头",而这三种头显然在本质上并不相同。然而,这里把《腓立比书》2 章的"子顺服父"与男性和女性之间的关系联系起来。

13 来自"Notes on the Way," *Time and Tide*, Volume XXIX (August 14, 1948)。

14 当我向匹兹堡长老会宣布我的决定,说:"因为我相信这是圣经的教导",所以我退出我在神学院接受教育时所走向的圣职轨道,转而求非按立的身份。当时与会的三百五十位牧师和长老大部分发出嘘声,表示反对。

15 《马可福音》10:32—45;亦见《马太福音》20:26—28:"谁想在你们中间成为大的,就要作你们的仆役;谁想在你们中间为首的,就要作你们的奴仆。正如人子来,不是要受人的服侍,而是要服侍人,并且要舍命,作许多人的赎价。"

16 Marietta Cheng, "When Women Make Music," *New York Times* (April 19, 1997).

17 见 Carol Gilligan, *In a Different Voice: Psychological Theory and Women's Development* (Cambridge, MA: Harvard University Press, 1993)。Gilligan 反对 Laurence Kohlberg 的观点,后者勾画了"道德发展的不同阶段"。Kohlberg 总结说,男性总体上达到一个比女性更高的道德发展水平,但 Gilligan 认为 Kohlberg 的定义偏向男性的道德推理。对 Kohlberg 而言,道

德发展的最高水平是一种“基于抽象原则的个人道德体系”。Gilligan 认为，这会排除女性，因为男性确实会从抽象原则出发进行推理，由此得出“是非”的判断；而女性则依据个人关系，基于同情来进行道德判断。这被一些人称为“差异女性主义”(difference feminism)。

18 Gilligan 呼吁使用“相互依赖的程度”来重新定义成年人的成熟程度(155 页)。和 Marietta Cheng 一样，Gilligan 认为女性的发展路径优于男性，尽管很多人反对这种说法。实际上，用基督教的术语讲，Gilligan 的理论暗示女性不如男性“堕落”，而这并不符合圣经的教导。然而，Gilligan 正确地指出了女性在心理学和心理社会学的构建和发展上与男性具有非常深刻的差异。

19 “一个男人可能是一个非常糟糕的丈夫，但调换性别角色不能解决问题。他可能是一个非常糟糕的男舞伴。要解决这个问题，他得更努力地练习舞蹈，而不是让舞蹈老师无视性别差异，并且把每个舞者当作中性人，那当然非常聪明、非常文雅、非常启蒙，但还是‘不像话’。” C. S. Lewis, “Notes on the Way,” in *Time and Tide*, Vol. XXIX (August 14, 1948)。

20 欧洲哲学家 Jacques Lacan 和 Emmanuel Levinas 普及了“他者”(the Other)这个概念，以及与“同一性”(the Same)相对的“差异性”(Difference)概念。要了解基督教的相关讨论以及基督教对这些哲学概念的回应，见 Miroslav Volf, *Exclusion and Embrace: A Theological Exploration of Identity, Otherness, and Reconciliation* (Nashville: Abingdon, 1996)。

21 “愿众生都起来，将尊贵归于大君王。”(Isaac Watts, “Jesus Shall Reign,” 1719)

22 参考引言中关于同性恋或同性性行为的简短讨论。

23 Volf，*Exclusion and Embrace*，引用 Jürgen Moltmann 的一段话，23 页。

24 “丈夫是妻子的头，前提是丈夫要爱妻子如同基督爱教会，并且为她舍己(弗 5:25)。所以，最能体现作头的，不是一个为所欲为的丈夫，而是一个默默受苦的丈夫：他的妻子得到最多，而给他最少……并且她本人最不可爱。”(C. S. Lewis，*The Four Loves*，148)

25 亚当和夏娃堕落之后，神陈明人类犯罪的种种恶果，他对夏娃说：“你要恋慕你的丈夫，他却要管辖你。”(创 3:16)正如 Derek Kidner 所言，“爱和欣赏”变成了“肉欲和操控”(*Genesis*：*An Introduction and Commentary* [Leicester，England：Tyndale，1967]，71)。

26 显然，自从我们的第一个孩子把红色浴袍披在肩上，在走廊、屋顶、树枝上模仿超人飞行之时起，这个警告就是必不可少的。

27 在《提摩太前书》3:15，保罗说教会是“神的家”。然而，我讲过，本书不涉及教会生活中性别角色的安排。本书仅讨论神所造的性别角色如何应用于婚姻之内。

28 我年轻的时候，非常想用自己的婚姻来表现神对婚姻的救赎，于是我盘算着让几位伴娘的衣服颜色采用基督教年历重大节期的不同主题颜色，让提姆和我扮演基督和基督的新妇——教会。我母亲说，很多客人会看不懂我的这个想法，而且我们最好是通过夫妻之间的日常生活来体现我所要传达的真理。她说服我按照最普通的方式安排伴娘的服装，提姆和他的伴郎也穿着普通的褐色礼服。但我现在仍然认为自己当初的想法至少也是一个不错的选择。

29 Elisabeth Elliot 体验了不同的文化环境(我最早就是从她那里明白性别角色是恩赐,而不是咒诅或难堪之事)。当厄瓜多尔奥加印第安人杀害了她的丈夫和其他四位宣教士之后,她去与奥加印第安人同住。她发现,在奥加印第安文化中,“男人本色”的概念包括善于写诗和善于装饰。而女性则负责照料家人,采集根茎和果实,进行原始耕种。

第7章　单身与婚姻

1 基督徒在讨论婚姻和单身生活的时候,常常会提到本章所引用的《哥林多前书》7 章的经文。然而,这段经文比较难解。我在这里基本上遵循两本解经书的指导:Roy Ciampa 和 Brian Rosner 合著的 *The First Letter to the Corinthians*(Grand Rapids, MI: Eerdmans, 2010),和 Anthony Thistelton 的 *The First Epistle to the Corinthians*(Grand Rapids, MI: Eerdmans, 2000)。

(1) 在 25—28 节,保罗说,如果时局艰困,不如单身。保罗说,很多人因为“目前的困难”(26 节)而克制自己不结婚,这是很明智的。Thistelton、Ciampa 和 Rosner 都说这句话常指短暂的危机时期,例如饥荒、战争或其他社会动荡。这解释了为什么在给哥林多信徒的教牧指导中,保罗似乎不像在其他书信中那样支持婚姻。

(2) 在 29—31 节,保罗说单身好是因为“时候不多了”,“这世上的情况都要过去”。保罗这里的意思是:因为这个世界迟早要让位于神的新天新地,所以我们没必要抓住这个世界的安全保障,诸如金钱、家庭和后嗣。很多人被迫结婚是因为太缺乏安全感,而深刻的安全感只有在神里面才能找到。

因为这个世界将要过去，所以我们不应该出于这种绝望感而结婚。因此，保罗暗示，单身可以帮助你克制自己过于贪恋这个世界的东西，例如金钱、资产、房子和社会地位。

(3) 在 32—35 节，保罗说单身可以更好地传福音，委身于圣工。家庭生活肯定会吸引我们的注意力，让我们把很多时间和精力放在很少的人身上。单身生活可以让你自由地服侍更多的人。保罗说，这也是一个保持单身的理由。

2 这已经是一个普遍的共识，所以很难只给出一两部解经的参考资料。若要从众多杰出著作中列举一二，我推荐 Oscar Cullman 的 *Christ and Time*：*The Primitive Christian Conception of Time and History*（Philadelphia：Westminster，1962）；Herman Ridderbos 的 *The Coming of the Kingdom*（Philadelphia：Presbyterian and Reformed，1962），以及 *Paul*：*An Outline of His Theology*（Grand Rapids，MI：Eerdmans，1997）。

3 一处与此相关的经文是《歌罗西书》3:1—4，保罗说："所以，你们既然与基督一同复活，就应当寻求天上的事，那里有基督坐在神的右边。你们要思念的，是天上的事，不是地上的事。因为你们已经死了，你们的生命与基督一同隐藏在神里面。基督就是你们的生命，他显现的时候，你们也要和他一同在荣耀里显现。"保罗说，凡是地上的事，都不是"你们的生命"。你或许拥有财富、事业、家庭，但你的安全感、盼望和身份，如今"隐藏在基督里"，因为你因信与他连合。所以，我们不应当思念"地上的事"。这不是说我们完全不去想婚姻家庭生活，以及日常生活中存款、吃喝玩乐和工作；而是说我们不在这些东西中寻找心灵最终的安息和盼望。

4 Stanley Hauerwas, *A Community of Character* (South Bend, IN: University of Notre Dame Press, 1991),174.

5 Rodney Stark, *The Rise of Christianity: A Sociologist Reconsiders History* (Princeton, NJ: Princeton University Press, 1996), 104.

6 “我们要晓得,单身者的‘牺牲’不仅是‘放弃性生活’,还要‘放弃后裔’。这清晰地传达了一个信息:我未来的保障不在于家庭,而在于神的国度和教会……”(Hauerwas, *A Community of Character*, 190)。“如今,单身和婚姻都成了具有象征意味的制度:教会的建立见证着神的国度。二者互相依赖。单身象征着教会相信神的能力:他能转变个人生命,并使教会得以成长。婚姻和养育后代则象征着教会对世界尚有盼望。”(Hauerwas, 191)

7 Paige Benton Brown, “Singled Out by God for Good.” 可见 www.pcpc.org/ministries/singles/singledout.php。

8 很多人会问,既然我们相信(如第6章所说)在基督徒家庭中男人作头,那么如何处理教会中男性和女性的关系问题?答案包括两方面。第一,一间教会坚持男性作长老和牧师,就表达了男性为首的原则,而且男性和女性都要在教会集体当中活出仆人式领袖的原则。但是,第二,我认为,我们必须警惕一种主张,就是“在教会里每个男人都在某些方面比每个女人强”这种主张。C. S. 路易斯在一篇短文《平等》中说,不能指望或鼓励每个女人都尊重社会中的每个男人。路易斯说,我们得严肃地看待人类堕落这个问题。在一个罪恶的、破碎的世界,权柄常常遭到滥用。《创世记》3章特意说,男人会因为罪而对女人施以暴力(比较创 3:16)。所以,路易斯说,我们必须支持人权平等的概念，确保每个公民、每个人都得到公正对待，不论什么性别，这样才能避免滥用权力（C. S. Lewis, "Equality," in *Present Concerns* [London: Fount, 1986]）。路易斯的观点非常符合圣经，基督徒若认真看待《创世记》3 章关于人类堕落的记述，就应当有这样的道德观念。有些男性基督徒暗示或期待男人在任何场合，无论是正式场合还是非正式场合，不论是委员会裁决公共事务还是一群朋友讨论去哪里玩，都要居首位。这种专横思想应当予以摒弃。

9 新约有许多讲彼此服侍的经文，包括：欣赏彼此的长处、能力和恩赐（罗 12:10；雅 5:9；罗 12:3－6）；承认彼此在基督里的地位平等（罗 15:7；林前 12:25；彼前 5:5）；彼此相爱（罗 16:16；雅 1:19；帖前 3:12）；分享彼此的物品、空间和时间（罗 12:10；帖前 5:15；彼前 4:9）；分享彼此的需要和问题（加 6:2；帖前 5:11）。

还有：分享彼此的信仰、思考和属灵生活（罗 12:16；西 3:16；林前 11:33；弗 5:19）；彼此监督（雅 5:16；罗 15:14；来 3:13；弗 4:25）；彼此饶恕，相互和解（弗 4:2,32；加 5:26；罗 14:19；雅 4:11；太 5:23ff,18:15ff）；求别人的益处，不求自己的益处（罗 14:9；来 10:24；加 5:13；罗 15:1－2）。

10 常有人问我："大城市里充满单身者的教会有很多，为什么结婚却很难？"我认为至少有三个原因。第一个原因是文化的力量。当代人约会或"勾搭"的方式是：(1)约会只是为了娱乐、满足性欲或提高社会地位；但是，(2)结婚只适合那些勇敢的人，并且他们结婚也只是为了实现个人满足、享受性爱和追求事业。基督徒或许知道他们的约会关系应当不同于世俗文化，但强大的文化仍然影响着我们的行为。受这些文化影响，社会中的婚姻已经减少。并且，如果我们接受这些文化影响，教会中的婚姻也会减少。第二,有些人有个人主义倾向,他们重视个人自由和自治。在大城市,这种人特别多。他们在大城市里可以构建自己的生活和生活方式,不像在其他地方那样受约束。婚姻意味着失去自由,这是他们无法忍受的。第三,每一代人都有许多人恐惧约会和婚姻。在传统环境当中,单身的人可以从周围的社区(大多数人是已婚夫妇)和大文化当中得到许多支持和引导,但也有结婚的压力!但大城市缺乏这种社区生活和文化支持。

11 Paige Benton Brown, *op. cit.*

12 Lauren Winner, "The Countercultural Path," in *Five Paths to the Love of Your Life*, ed. A. Chediak (Colorado Springs, CO: NavPress, 2005). Winner 根据 Beth L. Bailey 的 *From Front Porch to Back Seat*:*Courtship in Twentieth Century America* (Baltimore: Johns Hopkins University Press, 1989)的内容,简要介绍了约会的社会历史。

13 Bailey, *Front Porch*, 15 - 20,引自 Winner, "Countercultural Path," 22。

14 Bailey, *Front Porch*, 16.

15 Benoit Denizet-Lewis, "Friends, Friends with Benefits and the Benefits of the Local Mall," *New York Times Magazine* (May 30, 2004). 这篇文章稍作修改后重新发行,成为一本书当中的一章:"Whatever Happened to Teen Romance?" *American Voyeur*: *Dispatches from the Far Reaches of Modern Life*, ed. Denizet-Lewis(New York: Simon and Schuster, 2010)。

16 关于当代 *shidduch* 约会方式的有趣论述,参见 Lauren Winner 写的"Countercultural Path", 17 - 19。或者参考维基百科的一般

性描述。

17 Winner, “Countercultural Path,” 25.

18 同上,17ff。Winner 这里提到的是 Mirvis 的小说 *The Outside World* (New York: Knopf, 2004)里一对虚构的夫妇。

19 对保罗来说,“恩赐”常常是服侍别人的一种能力。保罗说他有独身的恩赐,他不是说自己没有结婚的欲望,而是说自己有机会服侍他人。“问题的关键不是一个人是否有某种保持独身的、避世的恩赐,而在于该信徒能否一生专心传福音,彰显神的荣耀,不被性欲牵制”(Ciampa and Rosner, *Corinthians*, 285)。

20 Winner, “Counterculture Path,” 45.

21 Ciampa and Rosner, *Corinthians*, 289.

22 Winner, “Counterculture Path,” 38.

23 婚前守贞的观念,如今在很多年轻人中间显得很过时。然而,一旦他们接受基督教的观念(见本书第 8 章),自然就会问:“我们能否不通过性爱的方式来表达身体的亲密?哪种表达方式更为得体?”Lauren Winner 记得她和未婚夫曾经问过他们大学牧师这个问题,牧师回答说:“如果有什么事情你们不好意思在罗吞达大楼(弗吉尼亚大学校园中间的大楼)的台阶上做,就别在私下做。”他们俩认为这个建议非常有道理。实际上,有一次他们真的在罗吞达大楼台阶上热吻,但他们自己感觉不好意思脱衣服。这就是他们需要的答案(Winner, “Counterculture Path,” 30)。

24 Winner, “Counterculture Path,” 32 - 33.

第 8 章　性爱与婚姻

1 在 1940 年代,C. S. 路易斯写道,在英国和欧洲的知识分子社交圈，人们对性的想法是这样的："性欲和其他自然欲望一样，一旦我们放弃那种愚蠢而过时的、非礼勿言的维多利亚时代思想，乐园里的一切都会变得美好起来。"(《返璞归真》，97—98 页)然而，路易斯反对这种观点，"这并非事实，"他说，性确实是一种欲望，但它与食欲不同。"你可以让一个女孩在舞台上脱衣服，吸引一大群人观看。现在，假设你来到一个国家，那里的人蜂拥到剧院里，只是为了看一个盖着盖子的盘子被端上舞台，然后慢慢揭开盖子，让每个人观看，在炫目的灯光照射下，盘子里装了一块羊排或火腿。难道你不会觉得这个国家的人有点变态？一位批评家说，如果他发现一个国家流行脱衣舞表演，他就知道这个国家的人饥渴得要死。"(《返璞归真》，96 页)

2 Dan B. Allender and Tremper Longman, *Intimate Allies: Rediscovering God's Design for Marriage and Becoming Soulmates for Life* (Wheaton, IL: Tyndale, 1999), 254.

3 作家兼批评家 Wendell Berry 在他的著作 *Sex, Economy, Freedom, and Community* (New York: Pantheon, 1994)中，批评了当代文化对基督教伦理普遍怀有敌意的潜在前提：当代文化假设性是私人事务，我在卧室里与另一个成年人两厢情愿的私人生活是我自己的事。Berry 这样的思想家反对这种看法，他们认为，这种主张表面上看是思想开放，但其实是教条主义。这种想法基于一系列当代哲学假设，而这些哲学假设根本不是中立的，而是准宗教的，并且具有强烈的政治意味。具体地讲，这种想法是基于一种高度个人主义的人性观。Berry 写道："性不是、也不可能是个人的私事，性也不仅仅是夫妇之间的私事。与其他任何人们广泛持有的那种必要、珍贵且变化无

常的力量一样，性是每个人的事……”（119 页）

个人出于爱心，自愿约束自己，限制自己的自由，把自己与其他人捆绑在一起，只有这样才能产生团体。过去，人们公认男人和女人之间的性关系是一种强有力的社会构建途径，可以把男人和女人结合起来，组成家庭。Berry 认为，性行为是终极的、“培育人类社会的纪律”。性活动是“关系的粘合剂”，它创造了一种深刻的连合，因此也使关系变得稳定，不仅让家庭可以生养儿女，而且这种稳定的关系也是当地社会得以繁荣发展的前提。婚外性关系最明显的社会成本就是疾病传播和儿童缺乏父母支持。较不明显、但却更大的社会成本是缺乏稳定家庭环境的儿童一生所遭遇的许多发育问题和心理问题。最微妙的是一个社会学现实：你的私人生活塑造你的品格，而这影响你与社会上其他人的关系。当人们用性来满足个人欲望的时候，这会削弱整个社会利他的政治能力。因为你使人商品化，认为别人只是你满足私欲的工具。所以，性不仅是你自己一个人的问题，而是影响社会每个人的问题。

4 我们可以这样来解读保罗的话：“难道你不明白，性的目的就是‘成为一体’——与另一个人在生活的每个层面都合而为一？你与妓女行淫，难道是为了这种合一吗？当然不是！所以，不要与妓女行淫。”

5 D. S. Bailey, *The Man-Woman Relation in Christian Thought* (London: Longmans, Green, 1959), 9－10.

6 Mark Regnerus 和 Jeremy Uecker 的一本重要著作《美国婚前性行为：美国年轻人如何认识、配对和看待结婚》(*Premarital Sex in America: How Young Americans Meet, Mate, and Think about Marrying*, Oxford, 2011)提供了大量的经验研

究。我们(特别是在本书第1章、第7章和第8章中)谈到年轻人关于性和婚姻的错误观念。这些研究支持我们所得出的许多论点和判断。他们在最后一章列举了美国年轻人常见的"关于性与关系的十大错误观念",而事实上,这些观念"根本没有什么证据"(246页)。这些错误观念包括:(1)"必须引入性来支撑两人刚刚开始或出现问题的关系。"(242页)相反,作者指出,经验表明,两人越快发生性关系,关系越容易破裂。(2)"色情不会影响关系。"(246页)作者认为,色情"现在影响了几乎每个人的关系"。色情用户对外貌和性行为会产生极不现实的期待。但Regnerus和Uecker进一步指出,色情如今在影响着每一个人,不管他们是不是用户。相当多男性色情用户欲望减弱,不敢面对真实关系和婚姻中的困难,这使得女性可以结婚的对象减少了。而他们认为,所有女性越来越被迫根据色情的形象和风格来调整她们的性行为。(3)"性并不意味着什么。"(247页)[可以发生性关系,但不必太当一回事。]两位作者认为,有一定比例的男性可以跟人发生性关系却不太投入感情,更谈不上委身。而越来越多的女性以平等的名义,像许多男性一样,随意发生性关系。但作者在第5章表明,很少有女性能够或者愿意像男人那样不在乎委身。(4)"同居肯定是迈向婚姻的一步。"(249页)婚前同居的人一般更容易离婚。而且作者指出,同居的结果通常不是结婚。这些数据很清楚,可是那些年轻人仍然坚持认为,同居有利于关系的发展。"同居者若进入婚姻,人们便更相信同居是大众所谓的智慧;而那些分手的情况却被人们忽略或忘记了。"

7 "保罗的话有一个明显的特点:重视彼此尽责(丈夫有权主张妻子的身体,妻子也有权主张丈夫的身体)。这在当时的世界掀起了一场革命，在当时，男权是绝对的社会规范。……保罗的话显然限制了丈夫的性自由，这种限制是彻底的、史无前例的。就我们所知，圣经中只有一个地方记载了与保罗相似的思想，那就是《雅歌》中对爱人彼此相属的诗意描述（2：16a；6：3a；7：10a）：'良人属我，我也属他。'"（Ciampa and Rosner, *Corinthians*, 280 - 281）

8 引自 Ciampa 和 Rosner 的 *Corinthians*, 278 - 279。

跋

1 很多人指出这段话指向耶稣亲自服侍门徒，为门徒洗脚（约 13 章），但这段话也明显指向耶稣关于历史终结时天国筵席的应许，到那时，他无限的权能将要亲自服侍我们，满足我们最深的渴望（约 12：37）。

2 Simone Weil, *Waiting for God* (New York: Harper, 2009), 27.

3 这次灵性体验改变了薇依的世界观。在收录于《期待上帝》(*Waiting for God*)中的属灵自传里，她说自己早年认为上帝的存在是一个无法解决的哲学问题。她找不到足够的证据或论据来证明上帝存在，也证明不了上帝不存在。但是，她写道："那时候，我从未想到存在这种可能：人和神之间发生一种实实在在的、位格之间的、在地上的接触。"（同上）

图书在版编目(CIP)数据

婚姻的意义/(美)提摩太·凯勒,凯西·凯勒著,杨基译.
—上海:上海三联书店,2017.6 重印
ISBN 978-7-5426-4480-0

Ⅰ.①婚… Ⅱ.①提…②凯…③杨… Ⅲ.①婚姻问题-通俗读物 Ⅳ.①C913.13-49

中国版本图书馆 CIP 数据核字(2013)第 307327 号

婚姻的意义

著　　者 / 提摩太·凯勒(Timothy Keller)
凯西·凯勒(Kathy Keller)
译　　者 / 杨　基
策　　划 / 徐志跃
责任编辑 / 邱　红
特约编辑 / 橡树文字工作室
整体设计 / 周周设计局
监　　制 / 姚　军
责任校对 / 张大伟

出版发行 / 上海三联书店
(201199)中国上海市都市路 4855 号 2 座 10 楼
邮购电话 / 021-22895557
印　　刷 / 上海叶大印务发展有限公司

版　　次 / 2015 年 2 月第 1 版
印　　次 / 2017 年 6 月第 13 次印刷
开　　本 / 890×1240　1/32
字　　数 / 150 千字
印　　张 / 9.5
书　　号 / ISBN 978-7-5426-4480-0/B·316
定　　价 / 38.00 元

敬启读者,如发现本书有印装质量问题,请与印刷厂联系 021-66019858